Sonora

Historia y Geografía *Tercer grado*

Sonora. Historia y Geografía. Tercer grado

Coordinación
Jesús José Loya Aboytia
Carlos Alfredo Maas Uc

Autores
Jesús José Loya Aboytia
Francisco Duarte Arvayo
Alejandro González Garza
María Concepción Araiza Aldana
Carlos Alfredo Maas Uc
Israel G. Valenzuela Lam

Supervisión técnica y pedagógica
Subsecretaría de Educación Básica y Normal
de la Secretaría de Educación Pública

Coordinación editorial de la primera edición
María Ángeles González

Cuidado de la edición
Soledad Deceano Osorio

Diseño
Jorge Amaya López

Formación
Patricia Jardón Dávila
Mónica Jacquelinne Velázquez Reyes

Fotografía
Israel G. Valenzuela Lam

Ilustración
Jesús José Loya Aboytia

Portada
Diseño: Comisión Nacional de Libros de Texto Gratuitos
Ilustración: *Historia de Sonora* (fragmento), 1984,
fresco,
Enrique Estrada Gasca
Palacio de Gobierno del Estado de Sonora.

Reproducción autorizada: Gobierno del estado

Fotografía: Javier Hinojosa

Primera edición, 1996
Segunda edición, 1998
Tercera edición revisada, 2002
Primera reimpresión, 2002 (ciclo escolar 2003-2004)

ISBN 970-18-7689-X

Impreso en México

Presentación

Este nuevo libro de texto gratuito tiene como propósito que las niñas y los niños que cursan el tercer grado de la educación primaria conozcan mejor la historia y la geografía de la entidad federativa en la cual viven: su pasado y sus tradiciones, sus recursos y sus problemas.

El plan de estudios de educación primaria, elaborado en 1993, otorga gran importancia al conocimiento que el niño debe adquirir sobre el entorno inmediato: la localidad, el municipio y la entidad. Este aprendizaje es un elemento esencial de aprecio y arraigo en lo más propio, y ayuda a que los niños se den cuenta de que nuestra fuerte identidad como nación se enriquece con la diversidad cultural, geográfica e histórica de las regiones del país.

Este libro es resultado de la colaboración entre la Secretaría de Educación Pública y el Gobierno del estado de Sonora y ha sido elaborado por maestros y especialistas residentes en la entidad. Es, por lo tanto, una expresión de federalismo educativo, establecido en la Ley General de Educación.

Con la renovación de los libros de texto se pone en marcha un proceso de perfeccionamiento continuo de los materiales de estudio para la escuela primaria. Cada vez que la experiencia y la evaluación lo hagan recomendable, los libros del niño y los recursos auxiliares para el maestro serán mejorados, sin necesidad de esperar largo tiempo para realizar reformas generales.

Para que estas tareas tengan éxito, son indispensables las opiniones de los maestros y de los niños que trabajarán con este libro, así como las sugerencias de madres y padres de familia que comparten con sus hijos las actividades escolares. La Secretaría de Educación Pública necesita sus recomendaciones y críticas.

Estas aportaciones serán estudiadas con atención y servirán para que el mejoramiento de los materiales educativos sea una actividad sistemática y permanente.

Índice

Sonora contemporáneo

Glosario   158

Sonora en México

ESTADO   DE   SONORA

Sonora es parte de México

Tu familia, tus compañeros de escuela y vecinos tienen algo en común contigo: viven en México, son mexicanos.

Todos somos mexicanos porque compartimos una historia o pasado común que nos dice cómo hemos llegado a formar nuestro país, también porque compartimos costumbres y tradiciones diversas que se han conservado a lo largo del tiempo, así como los símbolos que representan a México, que son la Bandera, el Escudo y el Himno nacionales.

Nuestro país también se llama República Mexicana. Sin embargo, su nombre oficial es Estados Unidos Mexicanos. ¿Te has fijado que así dice en las monedas que utilizamos a diario?

Si observas el mapa, notarás que el territorio mexicano cuenta con una gran extensión de costas y que tiene

Mapa de la República Mexicana

como vecinos a otros países. Al norte, México limita con Estados Unidos de América; al sur, con Guatemala y Belize; al este, con el Golfo de México, y al oeste, con el océano Pacífico.

La República Mexicana se divide en 31 estados y un Distrito Federal, a los que también se les llama entidades federativas. Cada estado es libre y soberano porque tiene territorio, leyes y gobierno propios. La federación es la unión de todas las entidades mediante leyes comunes que se encuentran en la Constitución Política de los Estados Unidos Mexicanos. Además, las entidades son coordinadas por el gobierno federal, que es el responsable de tomar las decisiones sobre los asuntos de interés para todo el país.

Somos mexicanos y sonorenses porque Sonora forma parte de México.

Somos sonorenses los que nacimos en el estado. También lo son aquellos mexicanos que tienen viviendo más de dos años en Sonora, y aquellos que nacieron en cualquier parte

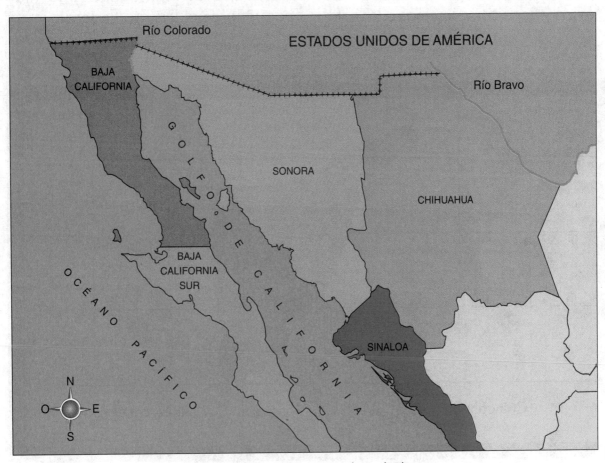

Mapa de Sonora y sus estados colindantes

de México pero sus padres son sonorenses.

Tú eres un niño sonorense, naciste o vives en algún lugar del estado, conoces su paisaje, sus casas y su gente.

¿Te gustaría saber dónde se localiza Sonora? Fíjate muy bien en el mapa de la página anterior.

Para localizar lugares en un mapa, se utiliza la **rosa de los vientos**, como la que aparece en el mapa de la página anterior. Con ella podemos saber que Sonora se localiza en el noroeste de México y tiene como vecinos a los estados de Sinaloa, Chihuahua y Baja California. En su parte oeste se encuentra el Golfo de California o Mar de Cortés, en cuyas aguas se desarrolla la pesca. Sonora es un estado fronterizo de la República, pues limita al norte con Estados Unidos de América.

Tú vives en uno de los estados más grandes del país. Fíjate cómo, por su extensión, Sonora ocupa el segundo lugar entre las entidades de mayor tamaño; puedes comparar esto en la gráfica siguiente. La entidad federativa más grande de la República Mexicana es Chihuahua y la más pequeña es el Distrito Federal.

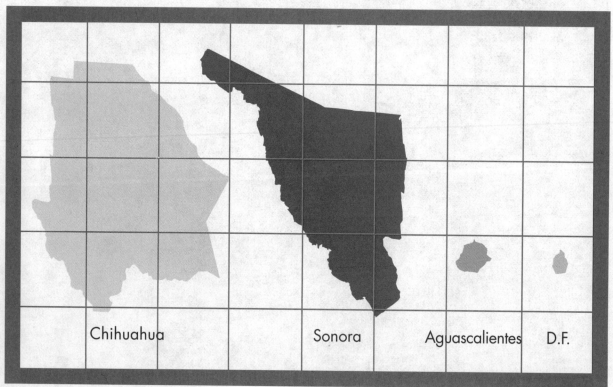

Gráfica comparativa de la extensión territorial entre algunas entidades de la República Mexicana

Ideas principales

- El nombre oficial de nuestro país es Estados Unidos Mexicanos.
- México limita al norte con Estados Unidos de América; al sur con Guatemala y Belize; al este con el Golfo de México, y al oeste con el océano Pacífico.
- La República Mexicana está formada por 32 entidades, una de las cuales es Sonora.
- El estado de Sonora se localiza en el noroeste del país.

Actividades

1. Contesta las siguientes preguntas:

¿Cuál es el nombre oficial de nuestro país?

_____

¿Cuáles son los otros dos nombres con los que también se le conoce?

_____

_____

¿Cuáles son los símbolos patrios?

_____

_____

_____

2. Calca el mapa de la página 8 y realiza lo siguiente:

– Localiza el estado de Sonora y coloréalo de rojo.

– Localiza el Golfo de México y el océano Pacífico. Coloréalos de azul y anota sus nombres en el lugar que les corresponda.

– Localiza los países con los que México limita al norte y al sur. Coloréalos de amarillo y escribe sus nombres en el lugar que corresponda.

– Localiza los estados colindantes con el estado de Sonora. Coloréalos de naranja y escribe sus nombres.

3. Completa los siguientes enunciados:

La República Mexicana se divide en_____ entidades.

Las leyes que rigen a la República Mexicana se encuentran en:_____

_____.

El gobierno que decide los asuntos de interés nacional se llama _____

_____.

4. Cuenta y numera las entidades federativas representadas en el mapa de la página 8, ¿cuántas son?

Origen y significado del nombre Sonora

Existen varias **versiones** sobre el origen de la palabra Sonora. A continuación conocerás algunas de las más aceptadas.

Una dice que cuando los españoles llegaron a la tierra donde vivían los ópatas, construyeron una capilla y pintaron una virgen sobre una piel de búfalo. Con el tiempo, cuando los ópatas empezaron a rendirle culto a la virgen, en lugar de decirle *señora* pronunciaban *senora*. De este modo, la palabra tomó el sonido de *sonora* que hoy conocemos.

Otra versión dice que Sonora se deriva de la palabra ópata *sonotl*, que

Iglesia de Huépac

significa *hoja de maíz*. Existe una leyenda que habla de un grupo indígena que vivía cerca del pueblo de Huépac y que usaba las hojas de maíz para cubrir las paredes y el techo de las chozas en que habitaban.

Una tercera versión afirma que la palabra se deriva del nombre de una **tribu** que habitaba en las márgenes del río Sonora, a quienes se les conocía como indígenas sonoras. Dicho río atraviesa gran parte del estado.

Como puedes ver, cualquiera de estas tres versiones te brinda una explicación de cómo se originó el nombre Sonora y cuál es su significado.

Además de saber que el nombre de nuestro estado tiene un significado, es importante que sepas que así como existen símbolos que identifican al país, también Sonora tiene un escudo que lo representa.

Plantío de maíz

Capilla de San Pedro, en Ures

Observa el escudo de Sonora y fíjate bien en lo que contiene:

La parte superior se divide en tres triángulos: en el del centro está representada la danza de El Venado, que es característica de la entidad. En el triángulo del extremo izquierdo se representa la minería y en el derecho se encuentran varios **haces** o tercios de trigo que simbolizan la agricultura.

La parte inferior está dividida en dos cuadrados: el de la izquierda representa la ganadería y en el de la derecha puedes observar un tiburón, que es símbolo de la riqueza de sus mares.

Escudo del estado de Sonora

Ideas principales

- Existen varias versiones del significado de la palabra Sonora:
  - Los ópatas le decían *senora* a la virgen, en lugar de *señora*.
  - Sonora proviene de la palabra *sonotl*, que significa *hoja de maíz*.
  - Existía una tribu indígena llamada *sonora* que habitaba en las márgenes del río Sonora.
- Sonora tiene un escudo que lo representa.

Actividades

1. De las tres versiones sobre el significado de la palabra Sonora, elige la que más te guste, escribe en tu cuaderno por qué e ilústrala con un dibujo.

2. Une los puntos numerados del recuadro. Escribe lo que representa. Coloréalo.

_____

3. ¿Cuál de las actividades que se representan en el escudo de Sonora se realiza en el lugar donde vives?

_____

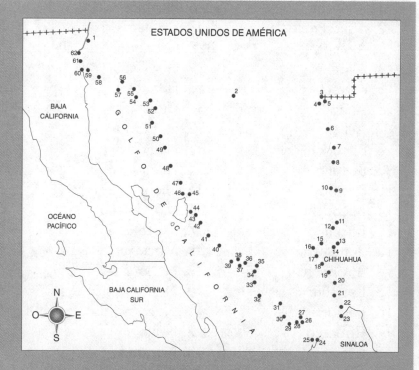

4. ¿Por qué es importante esta actividad en tu localidad?

_____

_____

5. Investiga con tus compañeros en dónde se venden los productos que se obtienen de esa actividad.

El estado se divide en municipios

Sonora es un estado libre y soberano, como todos los que integran la federación, por eso tiene el derecho de gobernarse a sí mismo. Su capital es la ciudad de Hermosillo, sede del gobierno.

Para organizar mejor sus recursos y actividades, los estados se dividen en territorios más pequeños que se llaman municipios y son la base de la división política. El número de municipios varía en cada estado de la República. Sonora está integrado por los 72 municipios enlistados abajo. Localízalos en el mapa de la página siguiente.

Estos son los nombres de los municipios que forman la entidad:

1. Aconchi
2. Agua Prieta
3. Álamos
4. Altar
5. Arivechi
6. Arizpe
7. Átil
8. Bacadéhuachi
9. Bacanora
10. Bacerac
11. Bacoachi
12. Bácum
13. Banámichi
14. Baviácora
15. Bavispe
16. Benjamín Hill
17. Caborca
18. Cajeme
19. Cananea
20. Carbó
21. Colorada, La
22. Cucurpe
23. Cumpas
24. Divisaderos
25. Empalme

26. Etchojoa
27. Fronteras
28. Granados
29. Guaymas
30. Hermosillo
31. Huachinera
32. Huásabas
33. Huatabampo
34. Huépac
35. Ímuris
36. Magdalena
37. Mazatán
38. Moctezuma
39. Naco
40. Nácori Chico
41. Nacozari de García
42. Navojoa
43. Nogales
44. Ónavas
45. Opodepe
46. Oquitoa
47. Pitiquito
48. Puerto Peñasco
49. Quiriego
50. Rayón

51. Rosario
52. Sahuaripa
53. San Felipe de Jesús
54. San Javier
55. San Luis Río Colorado
56. San Miguel de Horcasitas
57. San Pedro de la Cueva
58. Santa Ana
59. Santa Cruz
60. Sáric
61. Soyopa
62. Suaqui Grande
63. Tepache
64. Trincheras
65. Tubutama
66. Ures
67. Villa Hidalgo
68. Villa Pesqueira
69. Yécora
70. General Plutarco Elías Calles
71. Benito Juárez
72. San Ignacio Río Muerto

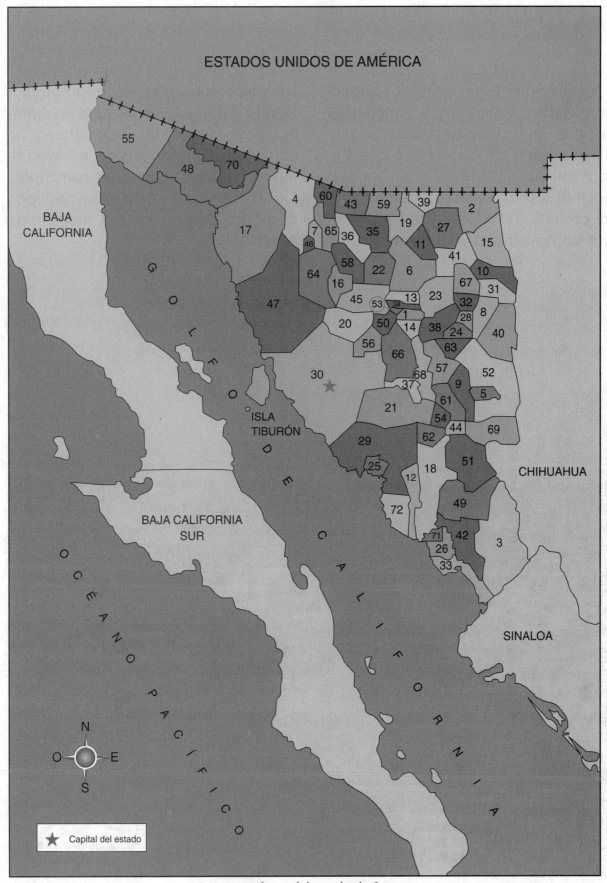

División política del estado de Sonora

Los municipios están formados por comunidades, poblados o rancherías vecinas, en los que su población establece normas de convivencia que garantizan sus derechos y obligaciones; además sus habitantes se relacionan por las cosas que producen y se identifican por sus costumbres y tradiciones.

Las comunidades que forman un municipio están gobernadas por un Ayuntamiento, también llamado cabildo. La comunidad donde reside el Ayuntamiento se llama cabecera municipal. Cada municipio está rodeado por otros, los cuales son sus municipios colindantes.

Hermosillo, capital de Sonora

Ideas principales

- Los estados se dividen en municipios, que son la base de la división política.
- El estado de Sonora está formado por 72 municipios.
- Cada municipio tiene su gente, localidades, gobierno, territorio, cabecera municipal y municipios colindantes.

Actividades

1. Comenta con tu maestro y tus compañeros, ¿cómo es la vida en tu municipio? ¿A qué se dedica la mayoría de las personas? ¿Cuál es la fiesta o celebración más importante?

2. Ubica en el mapa tu municipio y coloréalo de verde. Después localiza los municipios que colindan con él y coloréalos de café. Escribe sus nombres.

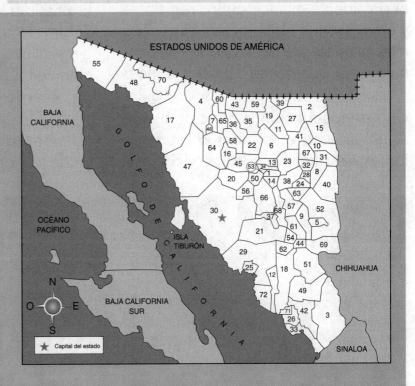

_____ _____

_____ _____

_____ _____

_____ _____

Gobierno municipal

Como ya te dijimos, un municipio está gobernado por un Ayuntamiento. Las autoridades que integran el Ayuntamiento son: un presidente municipal, un síndico y varios regidores, además de un tesorero y un secretario, quienes ayudan al presidente en sus funciones.

El presidente municipal, los regidores y el síndico son elegidos cada tres años mediante el voto de los habitantes del municipio que tienen 18 años o más.

Una de las funciones principales del Ayuntamiento es brindar a los habitantes del municipio los servicios públicos siguientes: agua potable, alcantarillado, alumbrado público, limpia, mercados, panteones, rastros, calles, parques, jardines, seguridad y tránsito, entre otros.

Además, cada autoridad del Ayuntamiento tiene sus propias funciones.

El presidente municipal es el responsable de vigilar la administración general del municipio y que la prestación de los servicios públicos se brinde de acuerdo con las **leyes.**

En Sonora existe una Ley Orgánica de la Administración Municipal en

Palacio Municipal de Guaymas

donde se establece la organización y funciones de los municipios del estado.

Los regidores coordinan los trabajos que se deben llevar a cabo para que la población cuente con los servicios necesarios para vivir mejor.

El síndico es la persona que defiende los intereses municipales. Representa legalmente al Ayuntamiento y cuida que el dinero del municipio se emplee correctamente.

El tesorero administra el dinero que se reúne con los **impuestos** que todos pagan. Con ese dinero se hacen mejoras a los servicios públicos que brinda el municipio a los habitantes.

El secretario lleva el registro de las actividades y reuniones del Ayuntamiento en actas de trabajo. Hace las veces de presidente municipal en caso necesario.

La comunidad donde reside el Ayuntamiento es la cabecera municipal, pero las otras comunidades pueden tener una comisaría, llamada así porque al gobierno municipal lo representa un comisario de policía. Cuando las comunidades son muy pequeñas, al gobierno municipal lo representa un delegado de policía.

Palacio Municipal de Hermosillo

El desarrollo y superación de un municipio depende de que sus habitantes y autoridades cumplan con sus obligaciones y hagan respetar sus derechos.

De acuerdo con la ley, las personas mayores de 18 años, a las que se les llama ciudadanos, tienen, entre otras, las siguientes obligaciones:

– Enviar a sus hijos menores de 15 años a la escuela
– Respetar las leyes
– Comportarse con respeto y orden
– Cuidar los servicios públicos y el medio ambiente
– Inscribirse en la lista de ciudadanos y obtener su credencial de elector
– Votar en las elecciones
– Desempeñar los cargos en el gobierno cuando resulten elegidos
– Contribuir con sus impuestos

Así como tienen obligaciones gozan de derechos, algunos de éstos son:

– Servicios de salud y educación
– Libertad de creencia religiosa, así como de expresión, petición y asociación
– Oportunidades de trabajo digno
– Elegir mediante el voto a sus gobernantes
– Ocupar cualquier cargo en el gobierno del municipio, del estado y del país

Los niños preservan el ambiente

Un ciudadano emite su voto

Cancha deportiva

También cada niño tiene derechos, entre los cuales se encuentran los siguientes:

- Alimentarse, crecer sano y tener una vivienda
- Ser protegido y recibir amor
- Asistir a la escuela
- Recibir ayuda primero que los demás, en casos de emergencia
- No ser maltratados

Los niños, a su vez, deben respetar a sus padres, hermanos y a toda su familia; a los demás niños y personas mayores. Pueden ayudar en las labores de su casa, de su escuela y su comunidad.

Cumpliendo con nuestras obligaciones y haciendo que se respeten nuestros derechos, todos los que vivimos en el municipio podemos gozar de mejores condiciones de vida. Por ejemplo, los jóvenes y las personas adultas pueden ayudar en la construcción de escuelas y hospitales, en la siembra de árboles y el mantenimiento en buen estado de los lugares que compartimos; los niños podemos ayudar a nuestros padres a cuidar nuestras cosas y a nosotros mismos.

Palacio Municipal de Magdalena de Kino

Ideas principales

- El gobierno municipal o Ayuntamiento está integrado por un presidente municipal, un síndico, varios regidores, un tesorero y un secretario.

- En el Ayuntamiento cada autoridad cumple una función.

Actividades

1. Une con una línea a cada autoridad municipal con las funciones que realiza.

AUTORIDAD	FUNCIONES
Presidente municipal	Coordinan los trabajos que se realizan en la comunidad.
Secretario	Es el responsable del buen funcionamiento del Ayuntamiento.
Tesorero	Administra el dinero.
Regidores	Lleva el registro de las actividades y reuniones del Ayuntamiento.
Síndico	Representa legalmente al Ayuntamiento.

2. Investiga los nombres de las personas que integran el Ayuntamiento al que pertenece tu comunidad, así como las principales actividades que realizan. Escribe en tu cuaderno un resumen con los resultados de tu investigación. Coméntala en tu grupo. Si puedes, organiza una entrevista con alguna autoridad municipal.

3. ¿Cuáles servicios públicos tiene tu comunidad? Haz un dibujo de alguno de ellos en tu cuaderno.

4. Platica con tus compañeros y maestros acerca de los derechos del niño, si éstos se cumplen o no y qué hacer para que se cumplan. También comenta acerca de los deberes de los niños para con ellos mismos, su familia y su comunidad.

El estado
de Sonora

El relieve del estado

Mira por un momento el paisaje que te rodea, ¿qué es lo que observas? Si vives en una comunidad urbana, probablemente ves calles, casas, edificios, comercios y a lo lejos algunas montañas; pero si vives en una comunidad rural, podrás ver casas y terrenos con sembradíos, regiones extensas y planas, o bien, zonas montañosas.

Uno de los elementos del paisaje que te rodea es el relieve, que corresponde a las diferentes formas que tiene el terreno; es decir, existen regiones planas y extensas a las que llamamos valles o planicies, pero también hay regiones elevadas donde encuentras cerros y montañas.

En la parte este y atravesando de norte a sur la entidad se encuentra la Sierra Madre Occidental. En su camino va formando altas montañas, desfiladeros y barrancas, por las que corren algunos ríos que van a desembocar al Golfo de California.

Sierras de Sonora

26

Como puedes ver en el mapa, en los límites con el estado de Chihuahua principia la región montañosa de la Sierra Madre Occidental, la cual recibe diversos nombres a su paso por tierras sonorenses:

– Sierra Los Ajos, en donde se encuentra el cerro más alto de la entidad, llamado Picachos

– Sierra de Cananea, famosa por su gran mina de cobre

– Sierra de Aconchi, que se extiende desde el municipio de Nogales hasta el de Ures

– Sierra de Nacozari, cercana a la población del mismo nombre

– Sierra de Teras o de Madera, que pasa por Bavispe

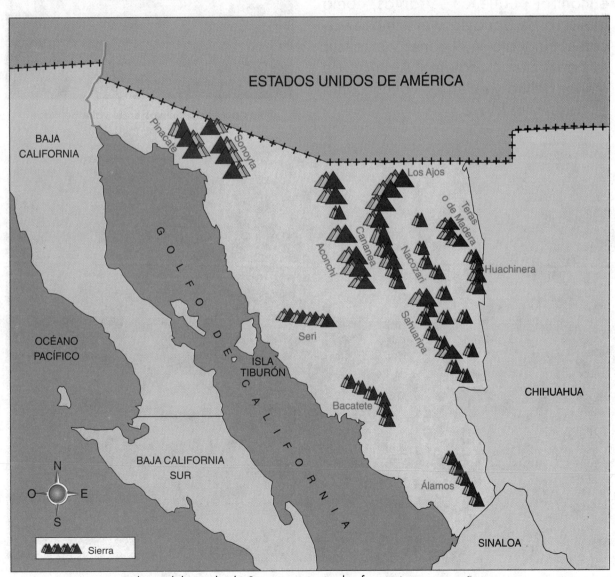

Relieve del estado de Sonora, principales formaciones montañosas

– Sierra Huachinera, ubicada entre el municipio de Bavispe y Bacerac, en los límites con Chihuahua

– Sierra de Sahuaripa, llamada así porque atraviesa la población del mismo nombre

La parte oeste de la entidad es una extensa planicie, ancha en el norte y angosta hacia el sur, donde podemos encontrar pequeñas serranías, como la sierra de Sonoyta y el famoso volcán El Pinacate en el norte; y en el sur la sierra Seri, Bacatete y Álamos, de menor altitud y extensos valles como el Yaqui y el Mayo.

Finalmente, también forman parte del relieve de Sonora la llanura costera, que es la parte más baja y se extiende a lo largo del Golfo de California, donde desembocan los ríos.

Fumigación de cultivos en el valle del Yaqui

Sierra Madre Occidental en Mulatos

Dirección de Geología de la Dirección General de Fomento Minero, Gobierno del Estado de Sonora.

Ideas principales

- En Sonora existen diferentes formas de relieve: zonas montañosas formadas por cerros y sierras, así como zonas extensas y planas a las que se les llama valles o planicies.

- La Sierra Madre Occidental se extiende a lo largo de todo el estado, recibiendo distintos nombres.

- Los principales valles son el Yaqui y el Mayo.

Actividades

1. Calca el mapa del estado que aparece en la página 17. Ubica en él tu municipio. Platica en grupo cómo es su relieve.

2. ¿Vives en una zona montañosa, en un valle o cerca de la costa? Describe el paisaje del lugar.

_____

_____

_____

_____

_____

_____

3. En equipo elabora una maqueta de las formas de relieve de tu estado. Necesitan un cartón o tabla de madera, papel higiénico, pegamento blanco, pinturas y otros materiales naturales, como arena, ramas, pequeñas plantas propias de la región, etcétera.

Los ríos de Sonora

El paisaje también está constituido por extensiones de agua, como mares, ríos, arroyos, lagos, lagunas y presas.

Como podemos observar en el mapa, existen ríos que nacen en lo alto de las montañas y que, al unirse con otras corrientes, desembocan en el mar.

La **red hidrográfica** de Sonora pertenece a la vertiente del Pacífico, pues los ríos desembocan en el Golfo de California. Destacan de norte a sur los ríos: Colorado, que es límite natural entre Sonora y Baja California; el Sonoyta, que desemboca en la bahía de San Jorge; el Magdalena, que se transforma en el Concepción cuando desemboca en el Golfo de Cali-

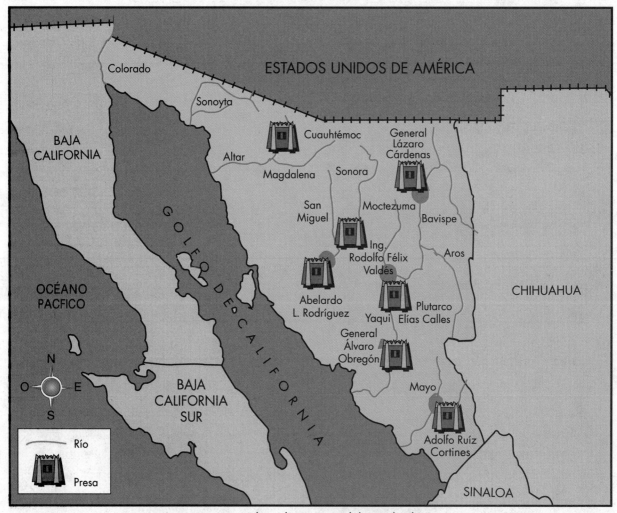

Los ríos principales y las presas del estado de Sonora

30

fornia, y su principal afluente es el Altar; el Sonora, con sus afluentes Bacanuchi, San Miguel y Zanjón; el río Yaqui es el más importante de la entidad por ser el más grande y **caudaloso**, sus afluentes son Bavispe, Sahuaripa y Moctezuma, y el río Mayo, localizado en el sur del estado.

Para controlar y almacenar el agua de los ríos, los sonorenses hemos construido presas. El agua de ellas sirve para regar cultivos, producir energía eléctrica y proveer de agua potable a diversas poblaciones.

Río Sonora

Presa Plutarco Elías Calles llamada también El Novillo

Las tres presas, Plutarco Elías Calles El Novillo, General Álvaro Obregón Oviachic y General Lázaro Cárdenas La Angostura, son abastecidas por el río Yaqui, y con ellas se establece un moderno sistema de riego para el valle del mismo nombre, así como para la generación de energía eléctrica.

Por otro lado, la presa Adolfo Ruiz Cortines, llamada también Mocúzari, es abastecida por el río Mayo y permite el sistema de riego del valle. Otras presas importantes de Sonora son: Abelardo L. Rodríguez, Ing. Rodolfo Félix Valdés y Cuauhtémoc.

Sin embargo, en nuestro estado predominan paisajes como el desierto y las planicies áridas, donde es necesario realizar grandes esfuerzos para que la población cuente con agua. Por ello, es importante que tú, tu familia y tu comunidad, cuiden y conserven este **preciado** líquido, necesario para todos los seres vivos.

Presa Abelardo L. Rodríguez

Ideas principales

- Los ríos más importantes de Sonora son el Yaqui y el Mayo, pues llevan agua todo el año.
- Las principales presas son: Plutarco Elías Calles, General Álvaro Obregón, Adolfo Ruiz Cortines y General Lázaro Cárdenas.

Actividades

1. Investiga con ayuda de tu maestro qué río, arroyo o presa hay cerca de tu comunidad. Anota sus nombres.

   río: _____

   arroyo: _____

   presa: _____

   a) ¿Para qué se utiliza esta agua en tu comunidad?

   b) ¿Qué problemas se han originado por la presencia de estos cuerpos de agua? o ¿qué problemas se presentan cuando no existen?

   c) Pregunta a una persona mayor:

   ¿Qué otros cuerpos de agua existían antes en la comunidad donde viven?

   ¿Se han modificado estos cuerpos de agua? ¿Por qué cambiaron? ¿Ha beneficiado o afectado esto a la comunidad?

2. Elabora un mapa de tu localidad y dibuja en él los cuerpos de agua que existen.

3. Describe y anota la forma en que se lleva el agua a tu comunidad.

4. ¿El agua que reciben es suficiente para cubrir las necesidades de tu familia y de tu localidad?

5. ¿El agua que utilizas en tu casa es limpia? ¿Cómo lo sabes?

6. ¿En qué meses falta el agua? ¿Por qué crees que es así?

7. Elabora carteles alusivos al cuidado y uso racional del agua.

El clima, la flora y la fauna

Para quienes habitamos en Sonora es común tener días soleados y calurosos, aunque también hay meses en los que se presentan algunas lluvias o hace frío. Seguramente has escuchado decir que durante el día hará mucho calor, pues la temperatura llegará a más de 40 centígrados; o por el contrario, que se sentirá mucho frío, ya que la temperatura no alcanzará los 10 centígrados.

La temperatura, la presencia de lluvias y la intensidad de los vientos son algunos de los elementos que determinan el clima de un lugar.

El clima influye tanto en las actividades de las personas como en su forma de vestir. Seguramente habrás notado que los habitantes de la sierra utilizan ropa más gruesa que las personas que viven en la costa.

Nevada en la sierra

En el estado de Sonora existen cuatro tipos de clima: cálido muy seco, cálido seco, templado y cálido húmedo.

Al observar el mapa, te darás cuenta que en la entidad predominan los climas muy seco y seco, que ocupan la llanura costera y las laderas de la Sierra Madre Occidental.

Los climas templado y cálido húmedo con escasas lluvias en el verano se localizan en las partes altas de la Sierra Madre Occidental, muy cerca de los límites con Chihuahua.

El clima es un factor que influye en el tipo de paisaje que hay en el lugar donde vives. Este paisaje incluye

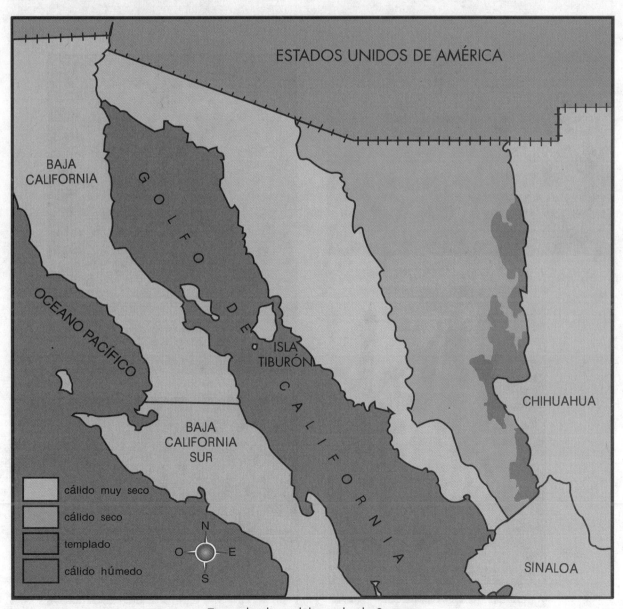

Tipos de clima del estado de Sonora

las formas del relieve, los cuerpos de agua y además la flora y fauna.

En Sonora la vegetación presenta grandes contrastes: existen plantas que soportan temperaturas muy altas y la escasez de agua, y también hay otras que requieren de un ambiente templado y de humedad.

En la llanura costera se encuentran varias especies de plantas, tales como el palofierro, paloverde, ocotillo, sahuaro, pitahayo, sirio, choya, torote, pochote, palmilla, gobernadora y jojoba. En las partes más altas de la sierra la vegetación cambia a bosques de pinos y encinos.

Plantas características del estado de Sonora

Al igual que las plantas, los animales que habitan en nuestro estado se adaptan a vivir en las zonas de la llanura y la sierra. En la llanura viven ratas, culebras, camaleones, tarántulas, iguanas, conejos, liebres, ardillas, murciélagos, coyotes, zopilotes, tecolotes y venados bura.

Por su parte, en la sierra los animales característicos son: gato montés, jabalí, venado cola blanca, puma, gavilán, halcón y oso. En las cercanías de la llanura viven los borregos cimarrones, una especie característica de Sonora, que hoy en día se encuentra en peligro de extinción, es decir, de desaparecer para siempre si no la cuidamos.

Animales característicos de la sierra

También se encuentran animales que se han adaptado a vivir en la costa, como la garza y la gaviota; en el mar encontramos camarón, cangrejo, langosta, atún, anguila, sardina, sierra, marlín, almeja y ostión, entre otros.

Todos estos elementos: relieve, cuerpos de agua, clima, plantas y animales forman parte de los diferentes paisajes de Sonora, los cuales te invitamos a conocer en las próximas lecciones.

Algunas especies de peces

Barco camaronero

Ideas principales

- El clima seco es el que predomina en Sonora.
- En los límites con Chihuahua existen pequeñas zonas que tienen clima templado y cálido, ambos con lluvias escasas en verano.
- En Sonora las plantas y animales que existen son muy variados y necesitamos protegerlos para que se conserven.

Actividades

1. Elabora un registro diario del tiempo. Observa el cielo y dibuja aquellos elementos que estén presentes ese día.

2. Elabora una lista de los animales que están en peligro de extinción e investiga cuáles son las causas de que esas especies se estén extinguiendo.

3. Discute con tus compañeros qué harían para preservar las especies. Elaboren carteles en los que inviten a la comunidad a cuidar estas especies y colóquenlos en un lugar visible de la escuela.

4. Dibuja en tu cuaderno cómo es el paisaje característico de tu comunidad, no olvides mostrar el tipo de clima: seco, semiseco, templado o cálido.

Símbolo	Lunes	Martes	Miércoles	Jueves	Viernes	Sábado	Domingo

Regiones geográficas de Sonora

En el extenso territorio de nuestro estado encontramos zonas cuyo relieve, clima, recursos y actividades de sus habitantes son semejantes. A estas zonas con características comunes les llamamos regiones geográficas. Sonora se divide en seis: noroeste, norte, centro, este, sur y sureste. Cada región comprende varios municipios. Las regiones geográficas contribuyen con la belleza de sus lugares, tradiciones, costumbres y con el esfuerzo de su gente, para que nuestro estado siga adelante y logre el bienestar de todos los hombres, mujeres y niños sonorenses.

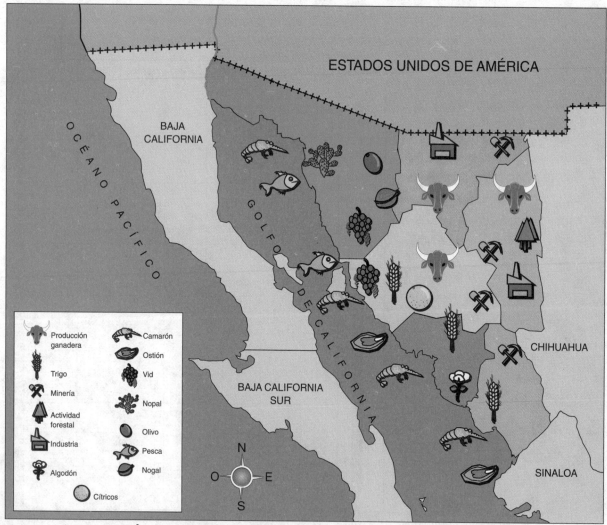

Diferentes tipos de producción por regiones del estado de Sonora

Ideas principales

- Una región es una parte de nuestra entidad que comparte características geográficas comunes y comprende varios municipios.
- El estado de Sonora se divide en seis regiones geográficas.

Actividades

1. Localiza en el mapa las seis regiones y coloréalas como se indica:

   la noroeste de rojo

   la norte de naranja

   la centro de verde

   la sur de café

   la sureste de rosa

   la este de morado

2. Consulta el mapa de la página 40 y haz una lista en tu cuaderno de lo que se produce en cada región. Identifica la región en la que vives.

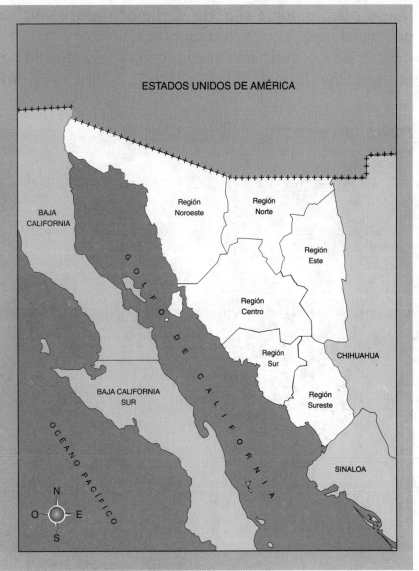

Región noroeste

Iniciemos ahora un viaje imaginario por todo nuestro estado. En él conoceremos sus diferentes regiones y apreciaremos la aportación de cada una de ellas para el progreso de quienes vivimos en Sonora.

La región noroeste presenta un terreno plano y ligeramente montañoso. Llueve poco durante el año. Su clima es cálido muy seco y se dice que es extremoso porque hace mucho calor en verano y mucho frío en invierno.

Esta región es muy importante porque comprende gran parte de la frontera entre México y Estados Unidos de América. En ella se realizan actividades comerciales de **importación** y **exportación** de diversos productos. En poblaciones como San Luis Río Colorado y Sonoyta se ubican **maquiladoras** que son fuente de trabajo para muchos mexicanos.

El desierto de Altar se encuentra en esta región. Es un sitio con clima

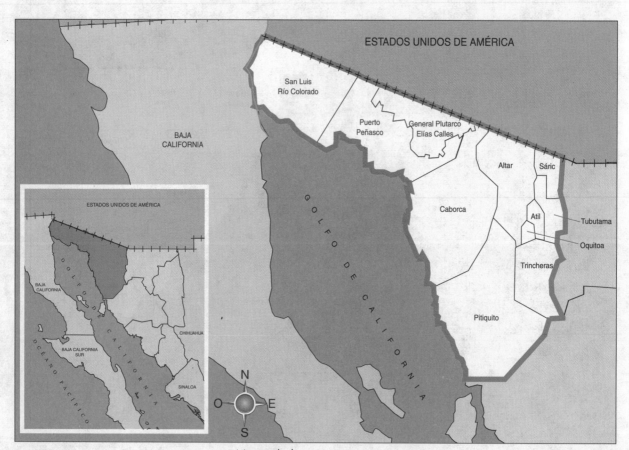

Mapa de la región noroeste

42

extremoso, que por sus características naturales casi no tiene vegetación. Sin embargo el municipio de Caborca, gracias a los sistemas de riego construidos por los sonorenses, es un lugar sobresaliente por su producción agrícola, especialmente de alfalfa, espárrago, hortalizas, forrajes, uva, dátil y aceituna.

En el desierto se distinguen algunas elevaciones montañosas, como los volcanes El Elegante y El Pinacate. Esta zona llamada El Pinacate es una **reserva ecológica**.

Dunas del desierto

Cráter en El Pinacate

Dirección de Geología de la Dirección General de Fomento Minero, Gobierno del Estado de Sonora.

Puerto Peñasco, importante centro turístico y pesquero

También en esta región se localiza casi la mitad de las costas sonorenses. Destaca la ciudad de Puerto Peñasco por la captura de camarón para exportación.

Como puedes darte cuenta, en esta región, a pesar de su aridez, se han desarrollado actividades económicas importantes, como la agricultura, la industria manufacturera y el turismo, que influyen en el progreso de nuestro estado.

Puente que cruza el río Colorado

Ideas principales

- La región noroeste constituye una gran parte de la frontera entre México y Estados Unidos de América, donde se realiza un importante intercambio de diversos productos comerciales.

- La región noroeste está formada por el desierto y casi la mitad de la llanura costera.

- En esta región se desarrolla la agricultura, la pesca, el comercio y el turismo.

Actividades

1. Describe y comenta con tus compañeros las características del desierto.

2. En el mapa de la página 42 dibuja los productos que se obtienen en la región noroeste del estado de Sonora.

3. Comenta con tus compañeros la manera en que los habitantes de esta región han logrado transformar parte del desierto en zona de cultivo. Escribe un relato.

_____

_____

_____

_____

_____

_____

_____

_____

_____

Región norte

Continuando nuestro viaje, nos encontramos en la región norte, que incluye otra parte importante de la frontera entre México y Estados Unidos de América.

En la región norte se encuentra Nogales, la ciudad fronteriza más grande del estado y su calle principal se comunica directamente con Nogales, Arizona,

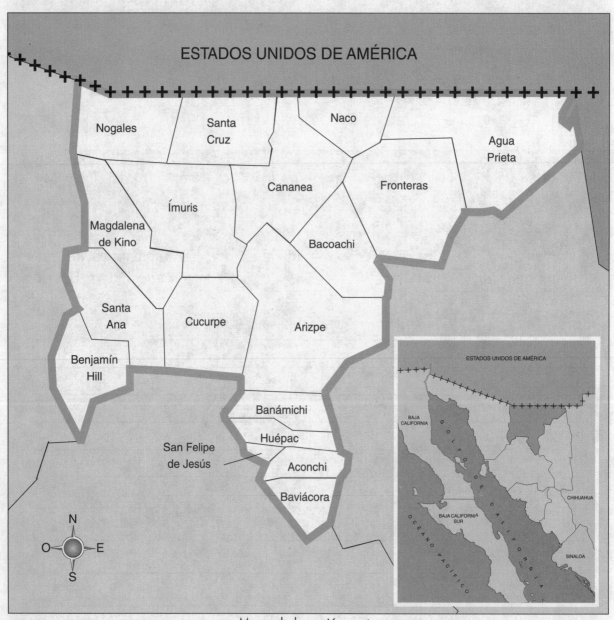

ESTADOS UNIDOS DE AMÉRICA

Nogales

Santa Cruz

Naco

Agua Prieta

Cananea

Fronteras

Ímuris

Magdalena de Kino

Bacoachi

Santa Ana

Cucurpe

Arizpe

Benjamín Hill

Banámichi

Huépac

San Felipe de Jesús

Aconchi

Baviácora

N O E S

ESTADOS UNIDOS DE AMÉRICA

BAJA CALIFORNIA

GOLFO DE CALIFORNIA

CHIHUAHUA

BAJA CALIFORNIA SUR

OCÉANO PACÍFICO

SINALOA

Mapa de la región norte

Nogales, la ciudad fronteriza más grande del estado

en Estados Unidos de América, siendo un importante paso fronterizo. Vía Nogales se exportan productos agrícolas, ganaderos, marítimos e industriales que se obtienen de Sonora y de otras entidades de México. También por Nogales llegan muchos productos de Estados Unidos de América y del mundo, como aparatos eléctricos, ropa, alimentos y maquinaria.

En la región norte se desarrolla también la actividad minera. Los principales minerales que se extraen del suelo son: cobre, plata, molibdeno, oro, plomo y zinc. En esta región se localiza la mina de Cananea, importante productora de cobre.

La producción agrícola en esta región es baja, sin embargo la mayoría de

47

Mina de Cananea en 1906

Dirección de Geología de la Dirección General de Fomento Minero, Gobierno del Estado de Sonora.

Trabajador minero

los municipios destacan por su producción de forrajes. La actividad ganadera se concentra básicamente en la cría de ganado bovino.

Las actividades productivas que se desarrollan son diversas y se ven favorecidas por las condiciones del terreno, que es ligeramente montañoso y con pequeños valles en las márgenes de los ríos.

Su clima es cálido seco con escasas lluvias en el verano, aunque existe una pequeña porción con clima templado.

Ideas principales

- En esta región se encuentra la ciudad de Nogales, uno de los pasos más importantes de la frontera con Estados Unidos de América.
- Las principales actividades son el comercio y la minería, aunque también se realizan actividades agrícolas y ganaderas en menor escala.
- El terreno de esta región es montañoso con pequeños valles. Su clima es seco con escasas lluvias en el verano y templado en una pequeña porción.

Actividades

1. Dibuja los principales productos que el país exporta por la región norte.

2. Describe en tu cuaderno el paisaje natural de esta región.

3. Investiga acerca de la mina de Cananea: qué produce, dónde se envía lo que produce y por qué es importante para el desarrollo de Sonora.

Región centro

Siguiendo nuestro viaje, llegamos hasta la región centro, que comprende parte de la llanura costera y se interna hasta las laderas de la Sierra Madre Occidental. Su clima es cálido muy seco y cálido seco, con escasas lluvias en el verano.

Aquí se ubica la ciudad de Hermosillo, capital de Sonora. Hermosillo es la ciu-

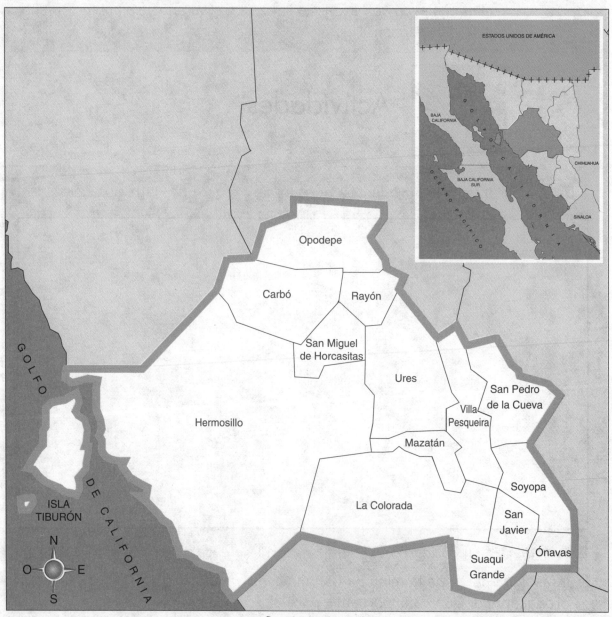

Región centro

dad más grande de Sonora, en la que se concentra el mayor número de habitantes, así como la mayoría de las actividades comerciales, bancarias, industriales, turísticas, de servicios educativos y de asistencia.

La ciudad de Hermosillo fue fundada en el año 1700 por Juan Bautista Escalante, con el nombre de Santísima Trinidad del Pitic; palabra que quiere decir en lengua pima *donde dos ríos se unen*.

A Hermosillo se le reconoce por el cerro de La Campana. Cuenta con un concurrido mercado municipal en el centro de la ciudad, la catedral de La Asunción, el Palacio de Gobierno, el Palacio Municipal, la plaza Zaragoza, el jardín Juárez, el parque infantil y el centro recreativo en La Sauceda.

Al este de la ciudad se encuentra la presa Abelardo L. Rodríguez, de la que se extrae la mayor parte del agua potable que se consume en la capital.

En esta región se ubica una gran extensión de terreno destinado a la agricultura, conocido como la Costa de Hermosillo, que es una zona plana donde se cosechan grandes cantidades de trigo, cebada, alfalfa, cártamo, soya, uva, naranja, durazno, algodón, garbanzo y nuez. Algunos de estos productos se exportan en forma natural o procesados.

También cuenta con serranías de poca altura donde se cría ganado bovino, porcino y aves de corral.

Importante en la región centro es la población pesquera de Bahía de Kino.

Catedral de La Asunción

Palacio de Gobierno en Hermosillo

Guillermo Aldana, *El estado de Sonora*, 1993.

51

Frente a la bahía se observa el Cerro Prieto.

Actualmente, Bahía de Kino es un lugar de gran atractivo turístico nacional e internacional, pues cuenta con playas abiertas, de arenas doradas y finas. Aquí se pueden comer pescados y mariscos recién sacados del mar o bien, realizar un tranquilo recorrido en velero o pequeños yates.

En la región centro, justo en el Golfo de California, se localiza la isla Tiburón, que es una reserva ecológica y lugar donde pescan los indígenas seris.

Los seris se dedican a la pesca comercial y de autoconsumo, así como a la elaboración de cestas, collares de conchas y caracoles y, sobre todo, las famosas esculturas de palofierro. Todas estas artesanías se venden a los turistas que visitan Bahía de Kino.

Ahora que conoces la región centro, seguramente tendrás ganas de visitarla, y si vives en ella promueve su desarrollo y participa de su progreso.

Bahía de Kino

Ideas principales

- En la región centro se localiza Hermosillo, capital del estado.
- La capital tiene la mayor concentración de habitantes, actividades económicas, instituciones educativas y de asistencia.
- La agricultura se desarrolla en la Costa de Hermosillo y la ganadería en pequeñas serranías.
- Otros lugares importantes son Bahía de Kino, por ser un lugar turístico, y la isla Tiburón, por ser reserva ecológica.

Actividades

1. Haz una lista de las artesanías y los productos agrícolas, ganaderos, mineros e industriales de la región centro.

_____   _____   _____   _____

_____   _____   _____   _____

_____   _____   _____   _____

_____   _____   _____   _____

_____   _____   _____   _____

2. Reúnete con tu equipo y entrevista a algunas personas de tu localidad acerca de las artesanías que se elaboran o de los principales productos agrícolas, ganaderos, mineros e industriales que se obtienen.

3. Elabora, con materiales de desecho, modelos de artesanías y productos agrícolas, ganaderos, mineros e industriales representativos de tu localidad. Si puedes, consigue alguno de estos productos y llévalo al salón de clases.

4. Junto con tu maestro monta una exposición donde exhiban a los demás alumnos de la escuela, los productos y artesanías más comunes de tu localidad. Escribe un texto explicativo para acompañar la exposición.

Región este

Trasladémonos ahora hacia la región este de nuestra entidad, límite con el estado de Chihuahua y donde se localiza la majestuosa Sierra Madre Occidental. El clima es cálido seco en las laderas de la sierra y en las partes altas es templado con lluvias en verano.

El terreno es accidentado, sin embargo forma valles que se aprovechan para la agricultura. En ellos se cultiva principalmente maíz, frijol, chile y árboles frutales como la manzana, el durazno y el membrillo. Abundan también los pastizales donde se cría ganado vacuno, caprino, **equino**, mular y asnal.

En la parte más alta de la sierra podemos encontrar bosques de pinos,

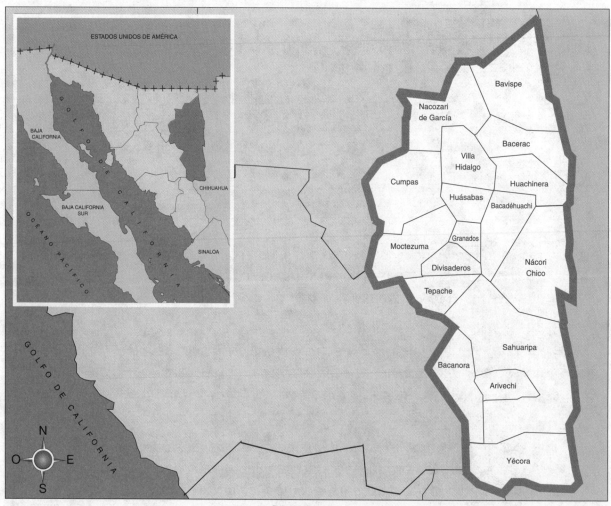

Región este

encinos y árboles de hojas **caedizas**, todos ellos aprovechables en la industria maderera. Por esta razón, algunos habitantes de la región se dedican a la fabricación de muebles.

Un aspecto importante de la parte alta de la sierra es que en ella tienen su origen casi todos los ríos de Sonora, los cuales van descendiendo hasta desembocar en el Golfo de California.

Lo **escarpado** de la sierra ha dificultado la comunicación de los habitantes de esta región con el resto de la entidad; sin embargo, actualmente se cuenta con carreteras y caminos que permiten el acceso a las diferentes poblaciones.

Aserradero

Un **magüechic**, en la sierra de Yécora

55

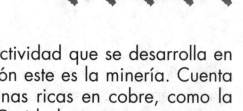

Paisaje rumbo a Agua Prieta

Otra actividad que se desarrolla en la región este es la minería. Cuenta con minas ricas en cobre, como la de La Caridad, que se encuentra en Nacozari de García. Ésta es la que mayor producción de cobre aporta al país.

Las características naturales de la región este, sumadas al esfuerzo que realizan sus habitantes, contribuyen a que Sonora sea un estado en constante progreso.

Plaza e iglesia de Arivechi

Ideas principales

- En la región este se encuentran algunas de las cumbres más altas del estado.

- Sus principales actividades productivas son el aprovechamiento de bosques, la explotación de minas, la agricultura y la cría de ganado.

Actividades

1. Elabora en equipo una maqueta de la región este con materiales de desecho, indicando con símbolos los lugares donde se realizan las principales actividades productivas.

2. Investiga si las superficies boscosas de la entidad se explotan de manera adecuada. ¿Qué recomendarías a los habitantes de esta región para que las conserven? ¿Qué sucedería si no se cuidan estas áreas? Coméntalo con tus compañeros y maestro.

3. Investiga y escribe qué ruta deben seguir los productos de la región este para llegar a Hermosillo.

_____

_____

_____

_____

_____

Región sur

Continuando nuestro viaje por Sonora visitemos ahora parte de sus costas, justo ahí, se encuentra la región sur.

Esta región tiene costas bajas y arenosas que reciben el nombre de pla-

yas y otras zonas altas y rocosas que se llaman **acantilados**, todos ellos bañados por el Golfo de California.

También hay entradas de mar en las costas llamadas bahías, como las de Guaymas, Empalme, Las Guásimas,

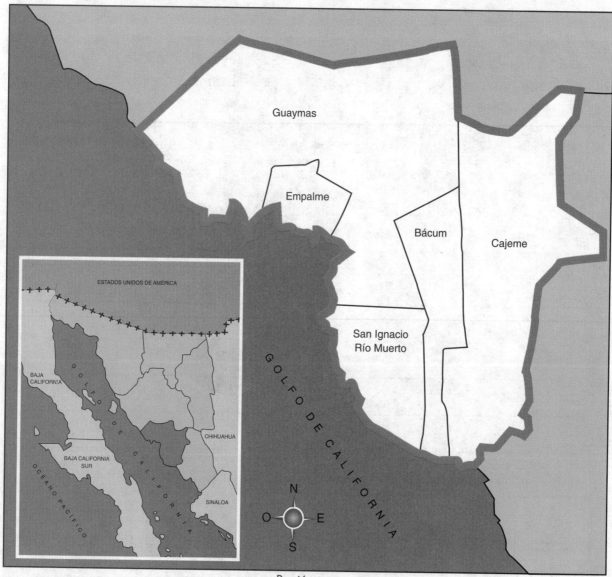

Región sur

San Carlos constituye el desarrollo turístico más importante de Sonora

El Ciego, San Pedro, Las Barajitas, Los Anegados y de Lobos; y lugares profundos y abrigados denominados puertos, como el de San Carlos y Guaymas, en donde se desarrollan actividades pesqueras y turísticas. El principal puerto es el de Guaymas, donde se realizan actividades comerciales.

La explotación de los recursos marítimos, principalmente la captura de camarón, genera una considerable cantidad de empleos.

Actualmente, San Carlos, Nuevo Guaymas, es el desarrollo turístico de mayor importancia en Sonora. Cuenta con extensas playas, como San Carlos y Los Algodones, de oleaje suave, arena fina y agua muy transpa-

rente. El turismo representa diversas fuentes de trabajo para la población.

A pesar de que la región sur tiene climas cálido muy seco y cálido seco, gracias a las obras de riego construidas, tiene fértiles valles regados por el río Yaqui, que en esta zona almacena sus aguas en la presa General Álvaro Obregón. El valle del Yaqui es el más extenso y abarca los municipios de Guaymas, Empalme, San Ignacio Río Muerto, Bácum y Cajeme.

Son notables los cultivos de trigo, maíz, cártamo, frijol, soya, algodón y hortaliza, entre otros. En cuanto a la ganadería, destacan la cría de ganado porcino, caprino, bovino, ovino y de aves de corral.

En esta región hay centros urbanos importantes, como Ciudad Obregón, Guaymas y Empalme. En este último se localizan talleres, almacenes y una estación de Ferrocarriles Nacionales de México.

Viajar por la región sur es muy atractivo, pues además de visitar las costas y conocer las actividades pesqueras y turísticas que en ella se realizan, puedes conocer los avanzados sistemas de riego que hay en los valles.

Dirección de Geología de la Dirección General de Fomento Minero, Gobierno del Estado de Sonora.

Guaymas es un puerto de altura porque llegan y salen de él barcos grandes con pasajeros y mercancías

Ideas principales

- La región sur cuenta con bellas costas, como la de San Carlos y Los Algodones, y con grandes valles, como los del Yaqui, Guaymas y Empalme.
- En ella se localiza el importante puerto de Guaymas.
- El valle del Yaqui es el más grande y productivo de la región.

Actividades

1. ¿Conoces algún puerto? ¿Cómo es? ¿Qué tipo de embarcaciones llegan a él? Coméntalo con tu maestro y compañeros.

2. En el espacio de abajo, dibuja algún puerto que conozcas o que hayas visto en periódicos o revistas. Puedes preguntar a las personas mayores cómo son los puertos en caso de que no conozcas ninguno. Elabora una historieta acerca de ese puerto, donde tú y tus amigos sean los personajes.

3. Escribe en tu cuaderno cómo piensas que es un día de actividades en el puerto de Guaymas. Compara tu trabajo con el de tus compañeros.

Región sureste

En el final de nuestro recorrido por el estado de Sonora llegamos a la región sureste, que se encuentra en la parte sur de nuestras costas y colinda con los estados de Chihuahua y Sinaloa.

Montaña y mar definen la naturaleza de esta región, que comprende una parte de la Sierra Madre Occidental, extensos litorales bañados por el Golfo de California y las tierras fértiles del valle del Mayo. En la llanura costera el clima es cálido muy seco, pero conforme nos vamos acercando a las partes altas de la Sierra Madre Occidental es cálido seco y cálido húmedo con lluvias en el verano.

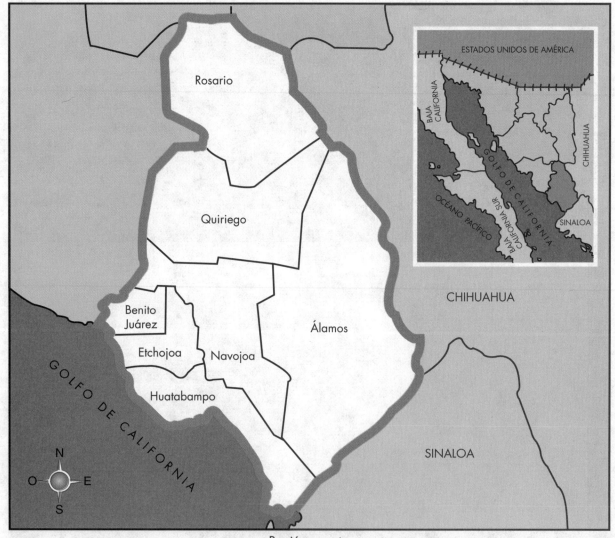

Región sureste

Ciudad de Álamos

Destacan en la región las montañas de Álamos y Baroyeca. Algunas de las poblaciones de la región son Navojoa y Huatabampo, importantes centros agrícolas. Álamos es llamada "ciudad colonial" porque su arquitectura es de esa época.

En las aguas de los litorales de esta región se practica la pesca, y sus pla-yas representan un atractivo turístico, como las de Huatabampito, Siáric, Huivulay y Agiabampo.

En la región sureste destaca la producción agrícola del valle del Mayo. Estas tierras son regadas por el río del mismo nombre, que almacena sus aguas en la presa Adolfo Ruiz Cortines, llamada también Mocúzari.

El clima cálido y el terreno propicio existentes en el valle del Mayo permiten que se cultive trigo, maíz, frijol, soya, cártamo, algodón, ajonjolí, papa, apio y hortalizas. Por la gran cantidad de granos que se cosechan en él y en el valle del Yaqui, se les conoce como *el granero de México*.

El viaje imaginario que hemos hecho te ha permitido conocer las regiones que conforman tu entidad y descubrir en ellas lugares importantes, como la costa, con su turismo y captura de especies marinas; el desierto; los valles, con su gran producción agrícola y ganadera, y la sierra, con sus bellos bosques y cría de ganado.

Cosecha de apio en el valle del Mayo

Ideas principales

- La región sureste se forma con altas montañas, extensos litorales y el valle del Mayo.

- La producción agrícola del valle del Mayo destaca por la gran cantidad de granos que se cosechan.

Actividades

1. En el siguiente mapa ubica los nombres de los municipios que integran la región sureste. Investiga cuáles son sus principales productos agrícolas y ganaderos; inventa símbolos para representarlos en el mapa.

2. Escribe en una hoja lo que más te haya gustado de la región sureste.

3. Ilustra tu redacción con dibujos o recortes de revistas.

4. Reúne tu trabajo con el de tus compañeros y formen un álbum.

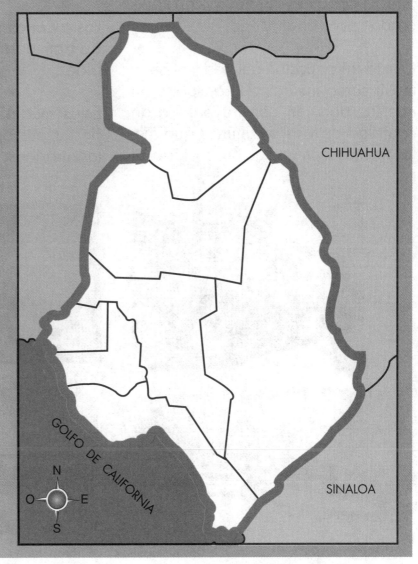

Transportes y vías de comunicación

Después de conocer las distintas regiones del estado, convendría preguntarse, ¿cómo es que se puede ir de un lugar a otro?

Empezaremos diciendo que el hombre no siempre se ha transportado de la misma manera. Antiguamente los pobladores se trasladaban a pie, después a caballo y luego en carruajes tirados por caballos.

Con la introducción del tren y el automóvil como medios de transporte en nuestro país, se construyeron gran cantidad de vías y caminos que mejoraron la comunicación en todo el territorio nacional e impulsaron el comercio.

En Sonora encontramos una gran variedad de medios de transporte, que van desde caballos, burros, carretas y bicicletas, hasta automóviles, autobuses, camiones, trenes, barcos y aviones.

Los aviones son un excelente medio de transporte, sobre todo por su rapidez.

Estos medios se utilizan para transportar personas y productos agrícolas, marinos, industriales y minerales.

Diferentes medios de transporte

Modernas carreteras comunican a todo el estado

Las principales vías de comunicación son: terrestres, como las carreteras y vías de ferrocarril; fluviales, en ríos, además de las marítimas y aéreas.

Sonora cuenta con 24 016 km de carreteras: pavimentadas, de terracería y empedradas.

La carretera más importante llamada Internacional, es la que va de México a Nogales y atraviesa el estado de sureste a norte.

De la población de Santa Ana se desprende la carretera que con rumbo al noroeste comunica con Baja California.

De estas carreteras parten ramales y caminos que comunican tanto a las poblaciones ubicadas en la sierra como a las de la costa con la capital.

El ferrocarril une a Sonora con la mayor parte del país. La estación más grande se encuentra en Empalme.

Los principales puertos son: Guaymas, Puerto Peñasco y Yavaros. En ellos se desarrolla la actividad pesquera y comercial. El puerto de Guaymas es, además, puerto de altura, porque puede recibir grandes embarcaciones.

Existen otros puertos, como Puerto Libertad y Puerto Lobos, que sólo permiten la entrada de embarcaciones pequeñas, por lo que se les conoce como puertos de cabotaje.

Sonora también cuenta con cinco aeropuertos internacionales ubicados en las ciudades de Puerto Peñasco, Guaymas, Nogales, Ciudad Obregón y Hermosillo. Este último es el más grande del estado y se llama Ignacio Pesqueira.

Aeropuerto Internacional de Hermosillo

Ideas principales

- El hombre utiliza los medios de transporte para trasladarse y llevar productos de un lugar a otro.
- Las vías de comunicación son terrestres, fluviales, marítimas y aéreas.
- Sonora cuenta con ferrocarril, carreteras, puertos y aeropuertos que permiten el traslado de personas y productos por nuestro estado y hacia otros lugares del país y el extranjero.

Actividades

1. Visita el mercado de tu localidad y pregunta a los comerciantes qué productos venden, cuáles son originarios del lugar donde vives, de dónde se traen los que no se producen ahí y qué medio de transporte se utiliza para hacerlos llegar.

2. En equipo elabora con tus compañeros un mural de lo investigado. Ilústralo con recortes, dibujos y mapas.

3. Establece correspondencia con alumnos de tercer grado de otras escuelas, ya sea de tu comunidad o de otras poblaciones, para que comenten e intercambien dibujos del lugar donde viven y los medios de transporte y comunicación que tienen.

Consigue los domicilios de las otras escuelas con tu maestro o el director de tu escuela.

La población de Sonora

En nuestro viaje imaginario, además de apreciar el paisaje, tuvimos oportunidad de conocer otras personas que, como tú, forman parte de una familia que vive en una comunidad pero, ¿te has puesto a pensar cuántas comunidades existen en el estado y cuántas personas habitan en ellas?

Cuando se desea saber el número de personas que vive en un determinado lugar; si hay más hombres o mujeres; cuántos niños, jóvenes o adultos hay; o en qué lugares viven más o menos personas, se tiene que hacer un censo de población.

Un censo consiste en contar las personas que hay en un lugar y preguntarles además a qué se dedican, cómo y dónde viven, cuántos años han estudiado, qué edad tienen, cuál es su religión, qué idioma hablan, entre otras cosas. El organismo encargado de realizar este trabajo es el Instituto Nacional de Estadística, Geografía e Informática (INEGI).

Población de Sonora

En México, el Censo de Población y Vivienda se hace cada 10 años, con el fin de saber cómo aumenta o disminuye la población de cada entidad y del país en general, y cada cinco años se realiza un conteo de población y vivienda. Estos datos permiten que los gobiernos, tanto federal como estatal, puedan planear y organizar mejor las actividades que tienen como fin satisfacer las necesidades de la población.

En Sonora, según los datos del XII Censo General de Población y Vivienda de 2000, vivimos 2 millones, 216 mil 969 habitantes.

Otro dato interesante que podemos conocer a través del censo es que la ma-

yoría de la población se concentra en seis municipios, estos son: Hermosillo, Cajeme, Navojoa, Guaymas, Nogales y San Luis Río Colorado.

Como te puedes dar cuenta, la población de Sonora no está distribuida de igual modo en todo el territorio. Existen lugares con muchos habitantes y otros con poca población. De acuerdo con las actividades económicas y los servicios con que cuentan, las comunidades pueden ser de dos tipos: rurales y urbanas.

Las comunidades rurales son poblaciones pequeñas y apartadas, que cuentan con escasos servicios públicos y sus habitantes se dedican generalmente a las actividades del campo.

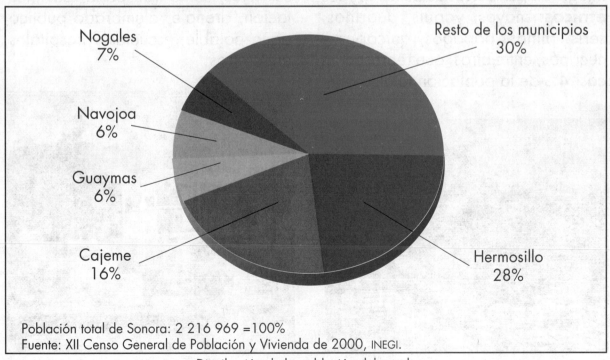

Población total de Sonora: 2 216 969 =100%
Fuente: XII Censo General de Población y Vivienda de 2000, INEGI.

Distribución de la población del estado

En ocasiones, los niños que viven en estos lugares deben recorrer grandes distancias para ir a la escuela. También es frecuente que la población rural vaya a vivir a las ciudades, lo que provoca que en éstas surjan problemas de vivienda, empleo, alimentación y otros. Cuando eso ocurre, en el campo se abandonan las tierras y se descuida el ganado.

En la comunidad urbana se concentra, por lo general, gran cantidad de habitantes. Cuentan con servicios públicos y existe, en la mayoría de los casos, una gran actividad comercial e industrial que proporciona empleo a la gente que vive ahí.

La población de Sonora también está integrada por personas de los grupos **étnicos**: mayos, yaquis, guarijíos, seris, pimas, pápagos, quicapús y cucapás, entre otros, que representan casi 4% de la población total.

Los municipios que concentran el mayor número de habitantes de los grupos étnicos son: Etchojoa, Huatabampo, Guaymas, Navojoa, Hermosillo, Bácum, Álamos y Cajeme.

Las actividades principales a las que se dedican son diversas, de acuerdo con sus tradiciones y costumbres. Algunos, como los mayos, se dedican a la producción de petates, taburetes y cestos; los yaquis siembran trigo, maíz, frijol y garbanzo; los seris trabajan el tallado de madera de palofierro, el tejido de canastos y elaboran collares pero principalmente se dedican a la pesca.

El crecimiento de las zonas urbanas provoca que aumente la demanda de servicios, como transporte, pavimentación, drenaje, alumbrado público, agua potable, escuelas y hospitales, entre otros.

Panorámica de la ciudad de Hermosillo

El Sauz de Ures, Sonora

Ideas principales

- Para saber la cantidad de personas que viven en un lugar y conocer sus necesidades se realizan los censos de población y vivienda.
- La población de Sonora está distribuida en comunidades rurales y urba- nas.
- Las comunidades rurales son poblaciones pequeñas y sus habitantes se dedican generalmente a las labores del campo.
- Las comunidades urbanas tienen mayor número de habitantes que las rurales, cuentan con servicios públicos y se dedican a diversas actividades productivas.
- La población de Sonora también la componen habitantes de los grupos étnicos, como: mayos, yaquis, guarijíos, seris, pimas, pápagos, quicapús y cucapás, entre otros.

Actividades

1. Tú puedes realizar un pequeño censo. Utiliza el siguiente cuadro, cópialo en tu cuaderno y anota los datos que se te piden de 10 personas que vivan en tu calle. Puedes empezar con tu familia.

Núm.	Nombre	Edad	Sexo	Lugar de nacimiento	Ocupación	Años de estudio
1						
2						
3						
4						
5						
6						
7						
8						
9						
10						

2. Anota en el cuaderno las características de tu comunidad: a qué se dedican las personas y los servicios con los que cuenta.

¿Cuántos hombres y mujeres hay?

¿Viven en tu calle más adultos que jóvenes y niños?

¿Cuántos nacieron en tu comunidad? ¿A qué se dedica la gente? ¿Cuál es el último grado de estudios? Comenta y compara con tus compañeros los resultados que obtuviste.

3. Investiga qué población originaria de grupos étnicos habita en la región en que vives. Pregunta si han habitado siempre esa zona o llegaron de otros lugares y a qué actividades se dedican.

4. Elabora un relato en tu cuaderno y compártelo con tus compañeros en el grupo. Ilustra los pasajes de tu relato con dibujos.

El gobierno de Sonora

Los estados de la República Mexicana son soberanos porque se gobiernan a sí mismos. El gobierno de Sonora es republicano, representativo y popular, esto quiere decir que forma parte de una república y que sus gobernantes son elegidos por los ciudadanos.

Los sonorenses ejercen su **soberanía** por medio de tres poderes: Legislativo, Ejecutivo y Judicial. La ciudad capital, Hermosillo, es sede de estos poderes.

El Poder Legislativo lo ejerce un Congreso o Legislatura. El Congreso del estado de Sonora se integra por **diputados** elegidos por los ciudadanos cada tres años; cada uno de los diputados representa a cierta cantidad de habitantes. Sus principales funciones son:

- Crear y reformar leyes, decretos y reglamentos para la vida social
- Autorizar y revisar los presupuestos económicos de los municipios
- Crear o suprimir municipios de acuerdo con las necesidades de la población

El Poder Ejecutivo recae en una persona que se llama gobernador, quien es elegido por los ciudadanos cada seis años mediante elecciones populares.

Algunas funciones del gobernador son:

- Vigilar que se ejecuten las leyes

- Conservar el orden, la tranquilidad y seguridad de los sonorenses
- Promover el progreso del estado y el bienestar de su población

El Poder Judicial se deposita en el Supremo Tribunal de Justicia. Este tribunal lo componen siete **magistrados** propuestos por el gobernador y ratificados por el Congreso del estado.

El Poder Judicial se ejerce a través de salas o juzgados, los cuales son atendidos por magistrados o jueces.

Algunas de las funciones del Poder Judicial son:

- Impartir justicia basándose en las leyes
- Llevar a cabo los **juicios** civiles y penales
- Proponer ante el Congreso leyes y decretos sobre justicia

Supremo Tribunal de Justicia del estado

Ideas principales

- El gobierno de Sonora se ejerce por medio de los poderes Ejecutivo, Legislativo y Judicial.

- Las funciones principales de los poderes del estado son: impulsar el progreso del estado; crear y modificar leyes que rigen la vida social; impartir justicia.

Actividades

1. Relaciona con una línea las dos columnas, según corresponda.

PODER	QUIÉN LO EJERCE
Ejecutivo	Congreso del estado
Legislativo	Supremo Tribunal de Justicia
Judicial	Gobernador del estado

2. Investiga y anota el nombre del gobernador del estado: _____

_____

3. Investiga y escribe el nombre del diputado local que representa a tu comunidad en el Congreso: _____

Nuestro espacio geográfico

A través de las diferentes lecciones que estudiaste, pudiste conocer las características físicas del estado, tales como relieve, ríos, flora, fauna, clima, así como su organización social, costumbres, actividades económicas, población y otros aspectos que forman el espacio geográfico de tu entidad.

Es importante que comprendas que todos estos elementos naturales y sociales son indispensables en la formación de nuestro estado.

Por ejemplo, las montañas, las llanuras y los valles en combinación con las condiciones del clima, originan la formación de corrientes de agua. Además, con la unión del relieve, clima y agua, se determina el tipo de suelo, que a su vez permite el crecimiento de cierta variedad de plantas que conforman el hábitat donde pueden vivir, crecer y reproducirse las especies de animales.

La acción del hombre también es un elemento del espacio geográfico, ya que

Cruce del ferrocarril del Pacífico por el vertedor de la presa de Hermosillo

al formar grupos para satisfacer sus necesidades, lo modifica y reorganiza. Por ejemplo, al construir casas, carreteras y presas, cambia el espacio físico natural, pues en ocasiones se deben tirar árboles, lo que altera el hábitat natural de muchas especies animales.

Así también, el ser humano ha podido cambiar para su beneficio las condiciones de algunas áreas desérticas y hacerlas propias para el cultivo y mejorar ciertas especies de plantas y animales. Tal es el caso de los valles del Yaqui y del Mayo, que las convirtieron en importantes zonas agrícolas y ganaderas.

Lo anterior se logró con obras de irrigación hechas por el hombre, que con el uso de la tecnología ha podido mejorar el medio en que vive.

Sin embargo, la acción del hombre ha perjudicado a la naturaleza, pues la explotación inmoderada de sus recursos ha cambiado las condiciones físicas del medio, poniendo en peligro de extinción a algunas especies de plantas y animales.

Corrales ganaderos

77

Ideas principales

- El espacio geográfico lo conforman los elementos naturales y sociales del lugar donde vives.

- El espacio geográfico cambia por la interacción de sus elementos.

- El uso adecuado de la tecnología permite modificar los elementos naturales y sociales del espacio geográfico para que los hombres tengan mejores condiciones de vida.

Actividades

1. Propón a tu grupo que se divida en seis equipos, para que cada uno escoja una de las regiones del estado y recabe los datos relevantes de ella, en cuanto a:

    — relieve   — recursos naturales

    — clima   — características de la población

    — ríos   — grupos étnicos

    — presas   — actividades productivas

    — flora   — lugares turísticos e históricos

2. Elabora con tu grupo una maqueta con la forma del estado, donde ubiquen las regiones y representen con materiales naturales y de desecho, como piedras, barro, aserrín, cartón, latas, etcétera, los elementos investigados en la primera actividad.

3. Escribe con tu equipo un texto breve sobre cada una de las regiones, en el cual expongan la manera en que se han modificado los elementos del espacio geográfico.

El estudio del pasado

La historia personal

A todas las personas nos han ocurrido diferentes hechos durante el tiempo que hemos vivido.

Lo que nos ha ocurrido desde que nacimos hasta el momento actual forma nuestra historia personal.

Investigar los sucesos de la vida de una persona para contar o escribir su historia es hacer su biografía. Cuando uno mismo escribe su historia, se llama autobiografía.

Tú también tienes un pasado, una historia personal que se inició en el momento en que naciste. Pide a tus papás que te enseñen algunas fotografías tuyas de diferentes momentos de tu vida. ¿Qué observas? ¿Cómo eras antes? ¿Cómo eres ahora? ¿Has cambiado mucho o poco? ¿Cuándo cambiaste más?

Si no tienes fotografías, pide a tus papás o familiares que te cuenten algunos hechos de tu vida.

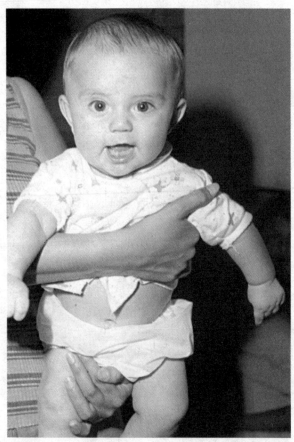

Así era Luis de un año

Así es Luis a los ocho años

1. Escribe tu autobiografía. Si no conoces o recuerdas alguno de los datos, pregunta a tus familiares más cercanos. ¿Cuándo y en dónde naciste? ¿Cuáles fueron tus primeras palabras? ¿Cuántos años tenías cuando fuiste por primera vez a la escuela? ¿Cómo se llama la escuela? ¿Cuál es el recuerdo que más te gusta de lo que viviste en primero y segundo grados?

AUTOBIOGRAFÍA

Mi nombre es_____ .

Nací el _____de _____ de _____,

en un lugar llamado_____ .

Pega aquí tu fotografía
o haz un dibujo de ti

Mi papá se llama_____ .

Mi mamá se llama_____ .

Tengo _____ hermanos. Sus nombres son: _____

_____ .

Empecé a hablar cuando tenía _____ años; mis primeras palabras fueron:

_____ .

Cuando tenía _____ años fui por primera vez a la escuela.

Esa escuela se llama _____ .

Me acuerdo mucho que cuando estaba en primer año de primaria_____

_____ .

El año pasado, cuando estaba en segundo _____

_____ .

Hoy que estoy en tercero, lo que más me gusta hacer es: _____

_____ .

La historia familiar

Así como tú tienes tu propia historia, tu familia también tiene la suya. Tu historia personal forma parte de tu historia familiar. Para conocer la historia familiar necesitas hacer un recorrido por la vida de tus padres, abuelos y otros parientes o familiares.

Tienes que comenzar por saber cómo está constituida tu familia. Para ello puedes utilizar un esquema que se llama *árbol genealógico*. Investiga tu historia familiar y construye tu árbol genealógico al final de la lección.

Pregunta a tus papás y a otros familiares los nombres de tus abuelos y bisabuelos, cuándo y dónde nacieron, cómo era su casa, cuáles eran sus juegos, en qué se transportaban y qué hacían. También revisa fotos, documentos, objetos y otros recuerdos que se conserven en tu casa o en las casas de tus familiares.

La historia familiar se puede comprender por medio de lo que nos han contado nuestros padres y abuelos, también a través de muchos objetos y documentos que son testimonios de lo que ha vivido la familia a lo largo de muchos años.

Como ya te dijimos, los testimonios y los objetos nos permiten apreciar el pasado. ¿Te imaginas qué difícil sería conocer la historia personal o familiar si no se conservaran estos testimonios u objetos?

Es muy interesante estudiar lo que ha pasado recientemente y, mucho más, saber cómo eran las cosas y cómo se vivía antes de que nosotros naciéramos.

Reconstruir nuestro pasado es importante porque se trata de nuestra propia vida y de la gente a la que más queremos.

Matrimonio joven

La familia actual

Recuerdos familiares

Ideas principales

- La historia familiar es el conjunto de sucesos que nos han ocurrido. También es el estudio de estos sucesos pasados.
- La biografía es una historia personal y el árbol genealógico representa parte de una historia familiar.
- Los documentos, fotos, objetos y los relatos son testimonios del pasado y forman parte de nuestro patrimonio.

Actividades

1. Elabora tu árbol genealógico con los datos familiares que investigaste. Si no tienes fotografías trata de hacer un dibujo de ellos en el lugar correspondiente.

2. Dibuja en tu cuaderno algunos testimonios de la historia de tu familia y coloréalos.

3. Pregunta a tus papás qué testimonios guardan de tu vida. Escríbelos en tu cuaderno y amplía tu autobiografía que iniciaste en la lección anterior.

4. Haz una lista de los documentos que se refieren a tu persona. Guarda esta lista, porque te servirá cuando te pidan algún documento.

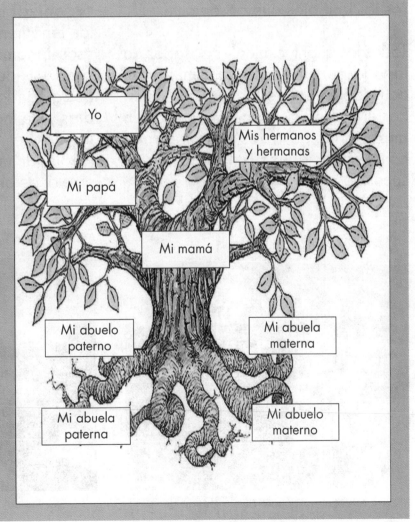

Cambios a través del tiempo

A través de los testimonios que conociste de tu familia, habrás observado cómo las personas, las casas, las maneras de vestir y de vivir han cambiado a lo largo del tiempo. Posiblemente también pudiste observar que cambió el paisaje, el transporte o la manera de trabajar de la gente del lugar donde vives.

Comenta con tu maestro y compañeros los cambios que observaste.

Todos los acontecimientos pasados de la vida personal y de la familia han ocurrido en un cierto tiempo y lugar. Por ello, medir el tiempo ha sido tan importante para los hombres, así como saber dónde han ocurrido los sucesos.

Medimos el tiempo para organizar nuestras actividades; a veces decimos que es hora de levantarse, de ir a la escuela, de jugar, de comer, de hacer la tarea o de dormir. ¿Tú crees que sería fácil organizar las actividades de la vida diaria si cada quien llevara diferente cuenta del tiempo? Analízalo con tus compañeros.

Hace muchísimos años las personas organizaban su vida observando los fenómenos que ocurrían. Uno de esos fenómenos era el día y la noche. Así, desarrollaban sus actividades guiándose por la duración de los días y de las noches, de esta manera medían el tiempo. Después, para medir con mayor precisión se inventó el reloj de arena; posteriormente otros

Cruce del río Sonora por la ciudad de Hermosillo en 1935

Cruce del río Sonora por la ciudad de Hermosillo en 1994

mecanismos hasta llegar a los relojes modernos y exactos de nuestros días.

En la actualidad hay varias formas de medir el tiempo. ¿Cuáles conoces?

Si se toma como base el día y lo dividimos en unidades de tiempo más pequeñas, tenemos la hora, el minuto y el segundo; pero, si a partir del día formamos otras unidades más grandes, tenemos la semana, el mes y el año.

También existen otras medidas que se utilizan para periodos mayores, como el lustro para cinco años; la década para 10 y el siglo para 100 años.

Una forma de representar estas medidas del tiempo y lo que sucedió en cada periodo es una línea del tiempo, como la que aparece en la siguiente página. En ella anotamos las

fechas, e ilustramos los acontecimientos más importantes.

Como seguramente pudiste observar al hacer tu autobiografía, con el paso del tiempo has cambiado: creciste, aprendiste a hablar, a caminar, ingresaste a la escuela; después, aprendiste a leer, escribir y contar. Lo mismo ha pasado con la historia del hombre, pero ésta empezó hace miles de años.

Reloj de arena

Reloj público moderno

En el museo de Sonora puedes encontrar diferentes testimonios de la historia del estado

Para que todos llevemos una misma cuenta del tiempo, ahora se toma como punto de partida el nacimiento de Cristo. Todo lo que ha sucedido desde que Cristo nació se considera de nuestra era y se representa con las letras d.C., que quieren decir después de Cristo. Los hechos que ocurrieron antes del nacimiento de Cristo se señalan con las letras a.C. Observa cómo se representa todo esto en la línea del tiempo de abajo.

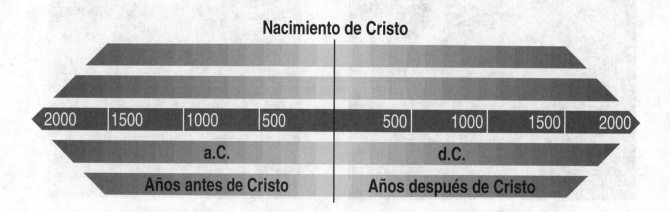

Nacimiento de Cristo

| 2000 | 1500 | 1000 | 500 | | 500 | 1000 | 1500 | 2000 |

a.C.   d.C.

Años antes de Cristo   Años después de Cristo

Ideas principales

- Las unidades de tiempo más pequeñas que el día son: la hora, los minutos y los segundos; las mayores son: la semana, el mes, el año, el lustro, la década y el siglo.

- La línea del tiempo es un dibujo o esquema que nos puede ayudar a ordenar los hechos ocurridos en diferentes periodos, para observar su secuencia y duración.

- Todos los seres humanos tenemos historia.

Actividades

1. Platica con tus compañeros a qué hora realizas las siguientes actividades: levantarte, desayunar, dormir, comer, entrar a la escuela, jugar, hacer tu tarea y ayudar en tu casa.

2. Dibuja en tu cuaderno un cuadrito para cada actividad e indica la hora del día en que la realizas. Coloca los cuadritos en orden progresivo.

3. Traza en tu cuaderno una línea como la que está a continuación y divídela en diez partes iguales; cada una representará un año.

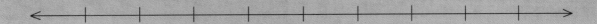

4. Lee los datos que anotaste en tu autobiografía y pide a tus papás que te cuenten algunos hechos vividos por la familia.

5. Selecciona aquello que te parezca más importante y dibújalo sobre la línea. No olvides anotar en la parte de abajo el año que le corresponda.

6. Comenta tu línea del tiempo personal y familiar con los integrantes de tu equipo.

7. Organiza junto con tu maestro y compañeros un recorrido por la comunidad donde vives. Observa los sitios más importantes que hay en ella. Pregunta a la gente qué cambios ha habido, cómo eran antes y cómo son ahora estos sitios.

8. Dibuja en tu cuaderno uno de esos sitios: en un cuadro cómo era antes y en otro cómo es ahora. ¿Ha cambiado mucho este sitio? ¿Qué ha permanecido igual?

Sonora tiene su historia

Así como tú y tu familia tienen su historia, la comunidad donde vives, el estado y el país, también tienen la suya; en ella han participado hombres, mujeres y niños desde tiempos muy remotos hasta nuestros días.

Todos han contribuido con su esfuerzo a construir esa historia común.

Pinturas **rupestres** en la cueva La Pintada

Petroglifo

Dos diferentes escenas de los murales del Palacio de Gobierno en Hermosillo, Sonora

A lo largo de las lecciones que siguen haremos un viaje al pasado de la entidad, desde antes de que llegaran los primeros pobladores a estas tierras hasta años recientes.

Este viaje te permitirá conocer personajes y acontecimientos del pasado; por ejemplo: que hace muchísimos siglos en el norte de la República Mexicana, el territorio que ahora ocupa el estado de Sonora, era habitado por grupos indígenas que realizaban actividades distintas a las de ahora y tenían una cultura y un idioma propios. Sabrás también cómo cambió su vida con la llegada de los españoles; asimismo, descubrirás a los personajes de Sonora que han participado en momentos importantes de la historia del país, como la lucha de Independencia y la Revolución Mexicana.

Mural en el Palacio de Gobierno, testimonio de nuestra historia

Ideas principales

- La historia de Sonora es la historia de las personas que han vivido y viven en este estado. Es nuestra historia.

- La historia de Sonora es parte de la historia de México.

Actividades

1. Pregunta a tus papás, abuelos u otros familiares sobre algún acontecimiento que haya ocurrido hace mucho tiempo en el lugar donde vives.

2. A continuación anota la información que obtuviste; no se te olvide preguntar cuándo sucedió.

_____

_____

_____

_____

_____

_____

_____

_____

3. Intercambia esta información con tus compañeros de grupo.

4. Entre todos construyan una línea del tiempo en la que registren los hechos que les platicaron. ¿Cuáles sucedieron primero y cuáles después?

La historia
de Sonora

Primeros pobladores de Sonora

| México prehispánico | La Colonia | La Independencia | La Reforma | El Porfiriato | La Revolución Mexicana | Sonora hoy |

¿Cómo eran nuestros antepasados? ¿De dónde y cómo llegaron los primeros pobladores a nuestro territorio?

Hace 40 mil años, aproximadamente, algunos hombres de Asia cruzaron por el estrecho de Bering, y llegaron a lo que ahora llamamos América en busca de alimento y de un clima más favorable para vivir.

Estos hombres eran nómadas, es decir, no vivían en un lugar fijo, iban en busca de plantas y frutos, así como de animales para alimentarse de su carne y cubrirse con sus pieles. Vivían en cuevas que encontraban en su camino. Cuando se agotaban los alimentos de un lugar, se trasladaban a otros, persiguiendo animales, pescando, recolectando frutos y plantas silvestres.

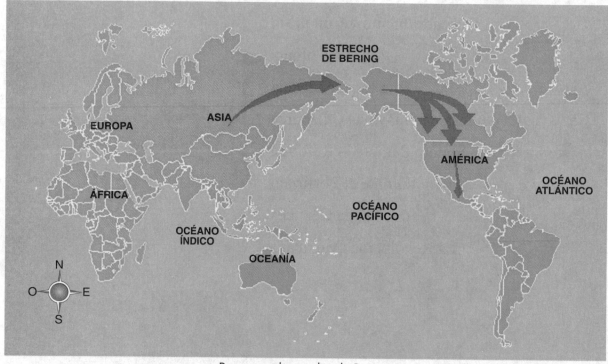

Paso por el estrecho de Bering

Construcción de nuevos centros de población

Durante miles de años, poco a poco los descendientes de aquellos primeros pobladores avanzaron hacia el sur del continente hasta llegar a lo que hoy es el territorio de la República Mexicana. Unos grupos se establecieron en lugares fijos de los valles o cerca de los ríos; empezaron a practicar la agricultura y se volvieron sedentarios. Algunos de los pobladores que se quedaron en el norte de México habitaron distintos lugares del actual territorio de Sonora.

Los principales grupos indígenas que se formaron fueron los yaquis, mayos, pimas, pápagos, ópatas, seris y guarijíos.

Los descendientes de la mayoría de estos grupos subsisten hasta la fecha y conservan aún parte de sus costumbres y tradiciones.

Con el tiempo, los diferentes grupos humanos que se quedaron a vivir en el territorio actual de nuestro país fueron aprendiendo a resolver sus problemas y necesidades; así, unos inventaron objetos, armas; crearon casas, aldeas, ciudades; otros siguieron siendo cazadores, pescadores y recolectores, además de fabricar sus armas y herramientas para efectuar estas actividades. Unos se hicieron sedentarios, otros eran nómadas o seminómadas.

Para poder estudiar a los diferentes pueblos se dividió el territorio en dos partes, a una se le llamó Mesoamérica y a otra Aridoamérica. Los pueblos de ambas partes intercambiaron conocimientos, idioma, formas de vida, y algunos luchaban entre sí.

Lo que ahora es Sonora perteneció a Aridoamérica. Los pueblos que se desarrollaron en nuestro territorio compartieron las características geográficas y culturales de esta región. Sus habitantes eran nómadas, vivían de la caza y la recolección, aunque también poco a poco algunos grupos se hicieron sedentarios.

Todo esto lo sabemos porque se han encontrado y se han estudiado muchos restos de sus objetos, de sus casas; también porque, como ya te dijimos, sus descendientes actuales conservan muchas de las antiguas formas de vida y de organización.

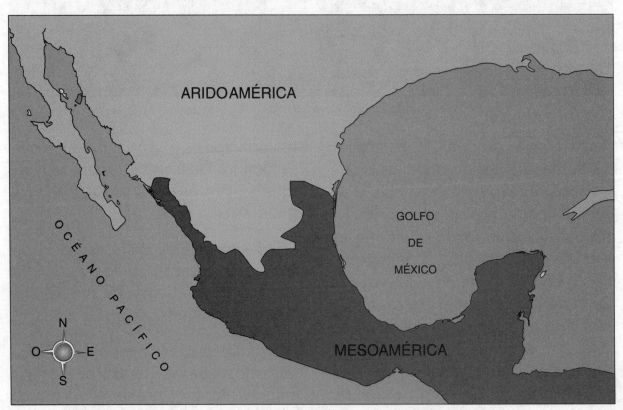

Territorios que comprendían Aridoamérica y Mesoamérica

Ideas principales

- Los primeros pobladores de América vinieron de Asia, cruzaron por el estrecho de Bering hace aproximadamente 40 mil años.

- Los primeros pobladores de Sonora formaron diferentes grupos, entre otros, yaquis, mayos, pimas, ópatas, seris, pápagos y guarijíos.

- Los descendientes de algunos de estos grupos aún conservan parte de sus costumbres.

Actividades

1. Contesta las siguientes preguntas según lo que leíste y observaste en el mapa de la página 92.

    — ¿Cómo te imaginas que pudieron pasar los hombres de Asia a América?

    — ¿A quiénes les decimos descendientes de los primeros pobladores? ¿Por qué les llamamos así?

    — ¿Cómo fue que algunos grupos de nómadas se convirtieron en sedentarios?

    Comenta tus respuestas con tus compañeros y tu maestro.

2. En tu cuaderno dibuja lo que más te haya interesado de todo lo que comentaron sobre la lección.

Yaquis

Los yaquis fueron la tribu más numerosa que pobló lo que actualmente es el territorio de Sonora y vivieron en las orillas del río Yaqui. Hablaban la lengua yaqui, adoraban a los astros, cazaban, pescaban, cultivaban y recolectaban semillas y frutos. Estuvieron en constante guerra contra los grupos mayos por el dominio del territorio que actualmente nombramos como el valle del Yaqui. A pesar de estas disputas, compartieron costumbres y fiestas semejantes con los mayos, como la danza de El Venado y otras que hasta ahora conservan. Las danzas, las fiestas y la lengua servían para mantener unida a la tribu.

Los descendientes de los yaquis siguen habitando a orillas del río Yaqui, principalmente en los siguientes ocho pueblos: Bácum, Belem, Cócorit, Huírivis, Pótam, Ráhum, Tórim y Vícam. En cada uno de estos pueblos nombran a una autoridad, a quien llaman gobernador. De esta manera se organizan.

Generalmente los yaquis son de estatura mediana y cuerpo robusto. Cultivan la tierra, cazan y pescan. Hablan la lengua yaqui, aunque muchos de ellos también hablan el español. Su religión actual es la católica. En sus fiestas tradicionales bailan danzas como la de El Venado, El Pascola y Los Matachines. Su comida tradicional y representativa es el **guacavaqui**.

Los yaquis lucharon contra todos los que quisieron apoderarse de su territorio. Durante la etapa de nuestra historia llamada Porfiriato, algunos de ellos fueron expulsados a Yucatán y Oaxaca.

Actualmente viven en paz, trabajan sus tierras y buscan resolver sus problemas de educación, salud y riego para sus tierras.

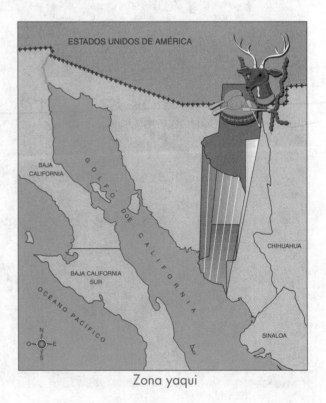

Zona yaqui

Ideas principales

- Los yaquis se establecieron a orillas del río Yaqui.
- Lucharon para defender su territorio.
- Durante el Porfiriato fueron expulsados a Yucatán y Oaxaca.
- Participaron en la Revolución Mexicana.
- Sus danzas son El Venado, El Pascola y Los Matachines.

Actividades

1. Localiza en un mapa de Sonora el río Yaqui y algunos de los pueblos yaquis. ¿Están cerca o lejos del mar? ¿Qué ciudades importantes de Sonora se encuentran cerca de donde viven los yaquis? ¿Tú vives cerca o lejos de los yaquis?

2. Investiga y escribe por qué y desde cuándo el río Yaqui lleva ese nombre.

_____

_____

_____

_____

_____

3. Llena en tu cuaderno un cuadro como el siguiente; si quieres puedes ilustrar las dos partes.

Los yaquis	
Lo que cambió entre los yaquis de antes y los de ahora.	Lo que permaneció casi igual entre los yaquis de antes y los de ahora.

Mayos

Los mayos se establecieron en la zona que riega lo que ahora conocemos como el río Mayo. Por las pinturas rupestres que se han encontrado en lo que fue Aridoamérica sabemos que los grupos, como el mayo, se dedicaron a la pesca, la cacería y la recolección. Poco a poco se fueron desarrollando hasta vivir en comunidades fijas.

Los mayos se relacionaron poco con otros grupos y estuvieron en constante lucha contra los yaquis por el control del territorio. En general, los mayos siguen compartiendo su origen, lengua e historia con los yaquis; son dos culturas hermanas.

Según la **tradición oral** del grupo, mayo significa *la gente de la ribera*, aunque ellos se llaman a sí mismos *yoremes*, que quiere decir *indígenas*.

Actualmente este grupo étnico o indígena sigue habitando la zona que riega el río Mayo en el sur de nuestro estado, y también en la parte norte de Sinaloa. Aunque la población de origen mayo se distribuye en varios municipios de Sonora y Sinaloa, la mayoría vive en los poblados de Júpare, Etchojoa, San Pedro, Pueblo Viejo, Camoa, Conicárit, Tesia, Navojoa, San

Ignacio Cohuirimpo y Huatabampo, entre otros.

La lengua mayo es muy parecida a la de los yaquis, entre una y otra existen algunas variantes. La mayoría también habla español. Su religión es la católica.

Muchos de ellos son buenos pescadores, pero también se dedican a la agricultura, cría de ganado bovino y caprino. Hacen **guaris**, petates y taburetes con palma, carrizo y pieles de vaca, caballo y cabras.

Sus fiestas tradicionales son religiosas y las celebran con procesiones, comidas, bebidas, carreras de caballos y danzas, como El Venado, El Coyote, El Pascola y Los Matachines.

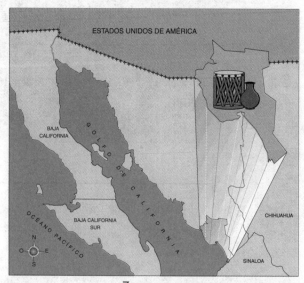

Zona mayo

Ideas principales

- Los mayos habitan desde hace mucho tiempo la región que riega el río Mayo.
- Los mayos tuvieron el mismo origen que los yaquis; compartieron una historia y una lengua semejantes.
- Los mayos de ahora conservan tradiciones de su antigua cultura.

Actividades

1. Encierra en un círculo los lugares donde habita actualmente la mayoría de los mayos.

Guaymas	Júpare
Hermosillo	Huatabampo
Obregón	Bácum
Camoa	Conicárit
San Ignacio Cohuirimpo	Etchojoa
Navojoa	Vícam
Nogales	San Pedro
Tesia	Pueblo Viejo

2. Trata de localizarlos en un mapa de Sonora, con la ayuda de tu maestro.

Pimas

Los pimas ocuparon antiguamente una gran parte del actual territorio de Sonora. Eran robustos, de color bronceado. Se alimentaban con maíz, frijol, chile; domesticaron animales y recolectaban frutos silvestres; utilizaban el algodón y la fibra del agave para hacer su ropa. Adoraban al Sol y a algunos animales, principalmente al coyote, porque creían que era hijo del Sol y de la Luna.

En sus fiestas religiosas cantaban y bailaban, comían carne cocida en una especie de tortilla de maíz y tomaban **tesgüino**. Una de sus fiestas que todavía conservan es el Yúmari, con la cual celebran las cosechas. Los pimas compartieron una lengua común con los pápagos.

Los pimas construían sus casas de adobe, o sea ladrillos de lodo o zoquete, aunque algunas las hacían con varas de ocotillo y las techaban con hojas de palma.

Durante mucho tiempo fueron un solo pueblo. Posteriormente se dividieron y ocuparon dos regiones diferentes de Sonora. Lo que ahora denominamos como la pimería alta se ubicó en parte de las regiones norte y noroeste del estado. También abarcó una porción de Arizona, en Estados Unidos de América. La pimería baja se asentó en la sierra de lo que hoy son los municipios de Yécora, Ónavas, Sahuaripa, Arivechi y Bacanora, lugares en donde todavía viven descendientes de ellos.

Los pimas actuales se dedican a la agricultura, cría de ganado y aves domésticas. Se siguen alimentando con maíz, frijol y chile; también comen trigo y papas.

Asimismo fabrican canastos, guaris y petates con palma y carrizo. Les gusta tomar café y tesgüino en sus fiestas tradicionales, que conservan desde tiempos antiguos.

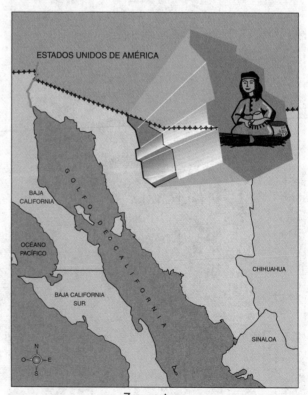

Zona pima

Ideas principales

- Inicialmente los pimas fueron un solo grupo.
- Posteriormente formaron la pimería alta en las actuales regiones norte y noroeste de Sonora, y la pimería baja en la sierra.
- Los pimas compartían una lengua común con los pápagos.
- Los actuales descendientes de los pimas conservan parte de las costumbres, fiestas y lengua de sus antepasados.

Actividades

1. Localiza en un mapa de Sonora, con ayuda de tu maestro, algunos de los lugares donde habitan actualmente los pimas. Después localiza el lugar en que vives. ¿Conoces algunos lugares donde viven los pimas? ¿Sabes cómo llegar a ellos? ¿Tu comunidad está cerca o lejos de las comunidades pimas?

2. ¿Qué tanto se parecen las casas que construían los pimas a la que tú habitas? ¿Usan materiales parecidos o diferentes? Realiza una maqueta de una casa pima y otra de tu casa. Muéstralas a tus compañeros y coméntenlas.

3. Ilumina el paisaje pima.

Pápagos

Los *tohono o'otham* o *gente del desierto*, como se llamaban a sí mismos los pápagos, fueron un grupo que originalmente pertenecía a los pimas.

Inicialmente los pápagos y pimas ocuparon un territorio muy grande de Sonora. Ambos grupos hablaban la misma lengua, con ligeras variaciones. Al parecer, los pápagos se separaron de la pimería alta y habitaron la zona vecina del desierto.

En el desierto la tierra es reseca y árida; los cauces de los ríos permanecen secos la mayor parte del año, sin embargo, durante el verano llevan agua que baja de la sierra, permitiendo el crecimiento de cierto tipo de vegetación que requiere de cantidades mínimas de agua para vivir. Esto seguramente fue lo que hizo que los pápagos permanecieran en este lugar.

Aunque los pápagos tenían la piel más oscura, sus características físicas eran semejantes a las de los pimas. Se dedicaban a la caza, a la agricultura de temporal, a la cría de animales y a la recolección de hierbas comestibles y de frutos, como la pitahaya y la péchita. Aprendieron a conservar semillas, con las que se alimentaban en invierno, cuando no había cosecha. También fermentaban el fruto del sahuaro para beberlo.

Vivían en poblados alejados unos de otros, sus casas eran pequeñas y semienterradas, lo que las hacía más frescas; tenían techos en forma de arco o planos.

Sus tradiciones eran muy parecidas a las de los pimas; entre sus danzas características estaba La Vikita. Durante las ceremonias que realizaban para pedir que lloviera, cantaban y bebían el licor que hacían con el fruto del sahuaro.

Actualmente algunos descendientes de los pápagos viven en los municipios de Caborca, Sáric y Altar, entre otros, así como en **reservas** indígenas en Arizona, Estados Unidos de América.

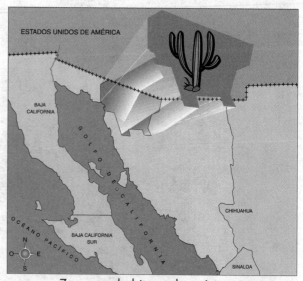

Zona que habitaron los pápagos

Ideas principales

- Los pápagos originalmente pertenecieron al grupo pima.
- Posteriormente los pápagos se desarrollaron como un grupo distinto, aunque parecido a los pimas.
- Los pápagos habitaron en el desierto.
- Los descendientes de los pápagos viven en Sonora, México, y en reservas indígenas en Arizona, Estados Unidos de América.

Actividades

1. Localiza en un mapa de la República Mexicana o del continente americano el desierto de Sonora-Arizona, donde habitaron los pápagos.

2. De acuerdo con lo que estudiaste, dibuja un paisaje pápago en el cuadro de abajo.

Ópatas

En una zona localizada al centro, pero un poco al norte del actual territorio sonorense, habitaron las familias que en conjunto llamamos ópatas.

Los ópatas se asentaron en las orillas de los ríos Sonora y San Miguel; ocuparon lo que hoy son los pueblos de Horcasitas, Opodepe, Tuape, Meresichi, Cucurpe, Mátape, Baviácora, Aconchi, Huépac, Banámichi, también en la región donde ahora se localizan los municipios de Sahuaripa, Bacanora y Arivechi.

Los ópatas eran de baja estatura, fuertes y resistentes para caminar, calzaban tegüas. Fueron buenos guerreros, luchaban contra los apaches. Su lengua era ópta; hoy muchos pueblos llevan nombres derivados de ésta.

Los ópatas vivieron en pequeños caseríos; practicaban una agricultura muy rudimentaria, sólo para obtener los alimentos más necesarios, los cuales completaban con la cacería y la recolección de frutos. El clima cálido-seco de la región permitía aprovechar los frutos de cactus (tunas y pitahayas), el sahuaro, el palmito y el maguey, y las raíces, como el camote; también usaron la péchita del mezquite. Su alimento tradicional era la carne seca y su bebida, el **bacanora**.

En la actualidad, en Sonora quedan algunos descendientes que conservan parte de sus costumbres.

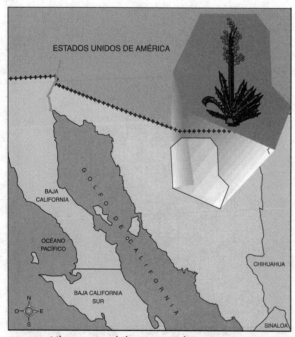

Ubicación del grupo indígena ópata

Descendiente de los ópatas

Ideas principales

- Los ópatas habitaron principalmente en las orillas de los ríos Sonora y San Miguel, y parte de la sierra.

- Los ópatas combinaban una agricultura rudimentaria con la cacería y la recolección de frutos.

- Quedan sólo algunos descendientes que conservan parte de sus costumbres.

Actividades

1. Escoge tres nombres de los pueblos donde vivieron los ópatas e investiga qué quieren decir en lengua ópata. Comenta lo investigado con tus compañeros y tu maestro. Escribe la conclusión a la que lleguen.

_____

_____

_____

_____

_____

_____

_____

_____

_____

2. Localiza en un mapa los ríos Sonora y San Miguel; también algunos de los pueblos de origen ópata.

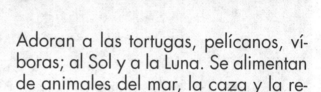

Seris

Los seris se llaman a sí mismos *conca'ac (Kon Kaak)*, que quiere decir *la gente*. Los seris fueron el grupo menos numeroso que pobló el actual territorio de Sonora. Cuando los estudiamos, sorprende saber cómo se adaptaron al medio en que vivieron, ya que era muy desértico. Los seris fueron nómadas que se organizaban en **bandas**; practicaban la recolección, la caza y la pesca. La mujer tenía un papel muy importante en la recolección de frutas; ella garantizaba la comida diaria. Se dice que los seris tenían una organización **matriarcal**.

Los seris se conservaron siempre como grupo a lo largo de toda la historia de Sonora, de allí que su cultura haya sufrido pocas influencias. Para sobrevivir enfrentaron muchas guerras, aunque tuvieron que refugiarse en zonas geográficas de Sonora muy difíciles para la vida.

Los actuales descendientes de los seris son delgados y altos; se dedican a la pesca; fabrican cestos de palma, collares de conchas y esculturas de palofierro. Hablan la lengua seri, la cual defienden; siguen inventando nuevas palabras para nombrar las cosas u objetos modernos.

Adoran a las tortugas, pelícanos, víboras; al Sol y a la Luna. Se alimentan de animales del mar, la caza y la recolección.

En el mes de mayo festejan con bailes y bebidas la pesca de la caguama o tortuga de mar, aunque ahora se prohíbe su captura porque está en peligro de desaparecer y necesitamos protegerla.

Los seris vivieron en el Pópulo, pueblo perteneciente a Horcasitas; después se trasladaron al Pueblo de Seris, cerca de Hermosillo. Actualmente viven en la faja costera de Sonora, desde el Desemboque, Punta Chueca y lugares cercanos a la isla Tiburón, hasta el cerro Prieto. Entre Guaymas y Hermosillo hay restos de su cultura en un lugar que se llama La Pintada por los dibujos hechos en las paredes y piedras.

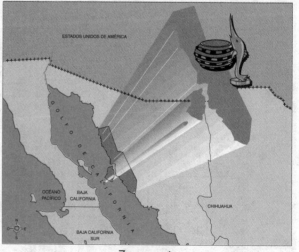

Zona seri

Ideas principales

- Los seris fueron nómadas.

- Vivieron en diferentes lugares del actual territorio de Sonora.

- Conservan su lengua y sus costumbres, que les permiten sobrevivir como grupo.

- Los actuales descendientes de los seris viven en la faja costera de Sonora.

Actividades

1. Las fotografías son de artesanías seris. Investiga sus nombres y escríbelos en las líneas de abajo.

   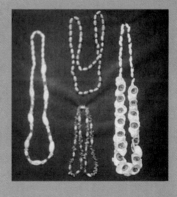

_____   _____

_____   _____

_____   _____

2. Comenta en grupo las actividades a las que se dedican actualmente los seris.

Guarijíos y apaches

Los guarijíos, también conocidos como guarojíos y varohíos, originalmente vivieron en la parte más alta de la Sierra Madre Occidental, en un lugar llamado Chínipas, del actual estado de Chihuahua.

No se sabe en qué época emigraron a lo que hoy es nuestro estado, pero se supone que por los continuos ataques de los indios chínipas se vieron obligados a abandonar su lugar de origen.

Los guarijíos se establecieron sobre las márgenes del río Mayo, en el arroyo Guajaray y en los límites con el estado de Chihuahua, zona que actualmente comprende los municipios de Álamos y Quiriego.

Entre sus poblados podemos mencionar: Cetajaqui, Mochibampo, Huataturi, Tepara, Aquinavo, Cuchuhueri, Corajaqui, Caramechi, Basicorepa, Bavícora, Gogochicos y Mesa Colorada, entre otros.

Los guarijíos, INI, 1982.

Una vivienda típica de los guarijíos actuales

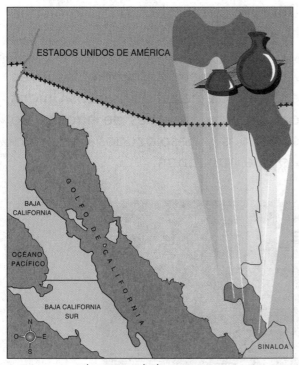

Ubicación de los guarijíos

vestres, aunque también consumían mucha carne.

Se agruparon principalmente en 11 tribus, las cuales eran guerreras; tenían la piel morena y eran de estatura mediana; se destacaban por su astucia y resistencia. Enseñaban a los niños el manejo del arco y la flecha, a reconocer las huellas, los cantos y los ruidos de los animales; a orientarse entre llanos y montañas, a localizar manantiales, entre otras cosas. A las niñas las enseñaban a curtir las pieles de los animales, a acarrear la leña y a cocinar. Todo esto lo hacían para asegurar la sobrevivencia de las tribus. Hablaban una lengua extraña, eran gobernados por los más ancianos y su religión se desconoce.

Se dedicaban a la caza, a la recolección de frutos y a la elaboración de objetos para uso diario. Hablaban la lengua varohío, parecida a la de los mayos y a la de los tarahumaras.

Actualmente practican la siembra de temporal, y cosechan maíz, frijol y calabaza; crían ganado bovino y elaboran artesanías. Sus danzas tienen influencia mayo y yaqui.

Apaches

Los apaches eran nómadas, recolectaban frutos y cazaban. Comían pitahayas, bellotas, biznagas, piñones, mezcal tatemado y otros vegetales **sil-**

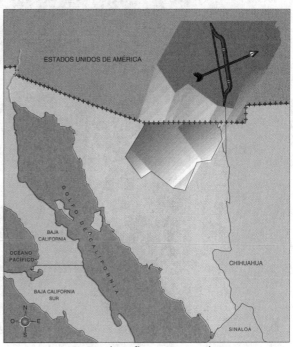

Zona de influencia apache

Cuando escaseaban los alimentos en el territorio donde se movían, entraban en pequeñas bandas en lo que ahora es parte del norte de México (Chihuahua y Sonora, entre otros estados) para robar o saquear alimentos en los terrenos de los grupos establecidos, por eso eran muy temidos.

Después se retiraban a la región que hoy es Arizona.

Actualmente sus descendientes viven en reservas indias de Estados Unidos de América, después de haber sido sometidos y desplazados del territorio que habitaban.

John Andrew V. Yon.

Mujer apache

Ideas principales

- Los guarijíos son originarios de la parte más alta de la Sierra Madre Occidental en el actual estado de Chihuahua.

- Se establecieron en lo que hoy son los municipios de Álamos y Quiriego, en Sonora.

- Los apaches son originarios de Estados Unidos de América.

- Para sobrevivir entraban a Sonora a robar alimentos.

Actividades

1. Localiza en un mapa de Sonora los municipios y el río donde se asentaron los guarijíos.

2. Pregunta a tus papás, abuelos u otra persona mayor sobre lo que conozcan de los apaches, y escríbelo en tu cuaderno.

3. Comenta con tus compañeros lo que investigaste. También platiquen por qué los apaches tenían ese tipo de alimentación y sobre las diferencias que encuentran entre la educación de las niñas y los niños apaches y la que ustedes reciben hoy. Reflexionen acerca de la causa de esas diferencias.

4. Escoge uno de los ocho grupos étnicos que estudiaste y llena en tu cuaderno un cuadro como el siguiente:

Nombre del grupo	
Lugares de Sonora donde habitó o incursionó	
Características principales	
Lo que se conserva actualmente de este grupo	
Aspectos de la cultura de este pueblo que están presentes en mi cultura. (Por ejemplo, como en el caso de los apaches, tal vez a ti también te enseñan a distinguir las huellas de los animales.)	

Comenta con tus compañeros y tu maestro lo que escribiste en el cuadro.

Descubrimiento y Conquista

México prehispánico | La Colonia | La Independencia | La Reforma | El Porfiriato | La Revolución Mexicana | Sonora hoy

Mientras que en América se desarrollaban grandes culturas, del otro lado del mar, en Europa y Asia, ocurrían algunos acontecimientos que influirían más adelante en nuestra historia. Veamos qué pasaba.

Los europeos comerciaban con otros pueblos de Asia, como China, Japón y la India, a los cuales compraban seda, piedras preciosas y **especias**, principalmente.

Los viajes para comerciar los hacían cruzando Europa y Asia; sin embargo, hacia el año de 1490 ya no pudieron realizarlos, porque entraron en guerras con otros pueblos; tuvieron entonces que buscar nuevas rutas para comerciar.

En ese tiempo un marino italiano llamado Cristóbal Colón logró convencer a los reyes españoles, Isabel la Católica, reina de Castilla, y Fernando, rey de Aragón, de que viajando por mar habría una ruta más corta para llegar a la India; así, ellos le dieron el dinero para realizar el viaje.

Colón salió del puerto de Palos, en España, al mando de tres naves: la

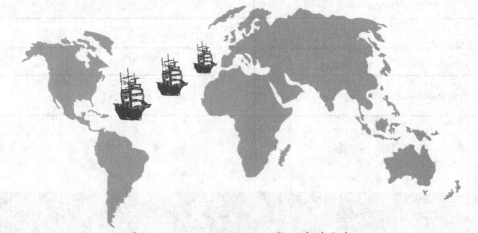

Ruta marítima que siguió Cristóbal Colón

Cristóbal Colón

A partir de los viajes de Colón, y siguiendo la nueva ruta encontrada por él, muchos europeos, entre ellos los españoles, organizaron nuevos viajes. La riqueza de las tierras descubiertas provocó que vinieran en busca de poder y fortuna. Fue así que, 27 años después del primer viaje de Colón, Hernán Cortés desembarcó en las costas del actual territorio de México; para ese momento los europeos ya sabían que todas estas tierras eran un continente y decidieron explorarlo y conquistarlo.

Niña, la Pinta y la Santa María. Después de más de dos meses de viaje, el 12 de octubre de 1492, Cristóbal Colón y su tripulación desembarcaron en la isla de Guanahaní, a la que llamaron San Salvador. Pensaron que habían llegado a la India; en realidad llegaron a un nuevo continente que en Europa no se conocía.

Colón hizo tres viajes más, pero nunca supo que estas tierras formaban un continente.

Al enterarse Cortés de la existencia de los mexicas, uno de los pueblos más poderosos, decidió avanzar hacia la cuenca de México. En el camino estableció **alianzas** con algunos grupos indígenas descontentos con el poderío mexica, quienes lo apoyarían en su lucha.

Cortés derrotó al ejército mexica en 1521, conquistando Tenochtitlan, hoy Ciudad de México. La caída de Tenochtitlan marca el inicio de la Colonia, etapa que duró 300 años.

Hernán Cortés

SEP, Colima. Monografía estatal, p. 78, 1994.

Primeros colonizadores

Diego de Guzmán

113

Nuestro territorio fue llamado Nueva España y estuvo bajo el dominio español: se convirtió en una colonia.

Una vez conquistado el territorio mexica, los españoles realizaron otras **expediciones** hacia el norte y oeste de la Nueva España; una de esas expediciones estuvo a cargo del español Diego de Guzmán, quien llegó a Sonora en el año de 1533.

Diego de Guzmán salió con sus hombres de lo que hoy es Culiacán, pasó por los actuales Guamúchil y Mocorito. Más tarde cruzó el río Mayo y llegó al río Yaqui, donde los indígenas le tendieron una emboscada, haciéndolo retroceder hasta la Villa de San Miguel de Culiacán.

Posteriormente llegaron otras expediciones, entre ellas la de Álvaro Núñez Cabeza de Vaca, quien venía acompañado de Alfonso del Castillo Maldonado, Andrés Dorantes y un negro llamado Estebanico. Ellos vivieron un tiempo con los ópatas.

Junto con los expedicionarios llegaron también los misioneros Pedro Méndez, Andrés Pérez de Rivas, Tomás Basilio y Miguel Godínez, quienes fundaron diversas **misiones** en los territorios mayo y yaqui.

Eusebio Kino, *Historia General de Sonora*, 1985.

Militar español del siglo XVI

Ideas principales

- Cristóbal Colón llegó a América el 12 de octubre de 1492.

- En 1521, Hernán Cortés tomó la ciudad de Tenochtitlan.

- España conquistó lo que hoy es parte de nuestro territorio; a éste se le llamó Nueva España.

- La Nueva España fue una colonia española.

- El primer español que llegó a Sonora fue Diego de Guzmán.

Actividades

1. En un planisferio o en un globo terráqueo localiza Europa, Asia, América, España, China, India, Japón y México. Esto te permitirá entender mejor la ruta de Colón, su viaje y por qué llegó a un nuevo continente. Pide apoyo a tu maestro para comprender mejor esta historia.

2. Pregunta a tu maestro por qué se llama México prehispánico a la etapa de nuestra historia anterior a la conquista.

3. Escribe en tu cuaderno por qué las antiguas tierras de los grupos que vivían en lo que actualmente es México se convirtieron en una colonia de España.

4. ¿Cuánto tiempo pasó entre la llegada de Colón a la isla de Guanahaní y la llegada de Diego de Guzmán a lo que ahora es Sonora? _____

5. ¿Crees que la vida de los grupos que vivían en Sonora haya cambiado durante la conquista y colonización de su territorio? Comenta tus respuestas con tus compañeros y tu maestro.

La Colonia

La Conquista permitió a los españoles colonizar el territorio de la Nueva España. Como ya mencionamos en la lección anterior, los españoles fundaron misiones. En Sonora, los misioneros jesuitas llegaron para convertir a los indígenas a la religión católica, enseñarles otra forma de cultivar la tierra, agruparlos en las misiones o pueblos, enseñarles el idioma castellano que hoy llamamos español, etcétera. La misión fue la base que cambió gran parte de la vida de los pueblos indígenas de Sonora, que poco a poco fueron dominados por los españoles. A través de la misión se consolidó el poder colonial en nuestro territorio.

Las primeras familias españolas que llegaron a Sonora fueron guiadas por Pedro de Perea en 1637. Perea trató de establecer un gobierno para organizar mejor estos territorios, pero fracasó porque los grupos indígenas, especialmente los yaquis, se rebelaron contra los españoles.

Después llegaron otros colonizadores, como Juan Bautista Escalante, quien exploró la isla Tiburón y la bahía de Guaymas. Durante este recorrido fundó Magdalena, Los Ángeles, el Pópulo y Pitic, que hoy es Hermosillo, y luchó contra tepocas, seris y pimas bajos.

Eusebio Francisco Kino, conocido como *padre Kino*, llegó en 1687 al actual estado de Sonora. Entre las misiones que fundó estuvo la de Nuestra Señora de los Dolores. Realizó una importante labor religiosa y educativa con los pimas, ópatas y

Eusebio Kino, *Historia general de Sonora*, 1985.

Indígenas y misioneros franciscanos

pápagos. También hizo los primeros mapas de Sonora. Con el tiempo congregó a los indígenas en misiones, entre otras Magdalena y Tubutama. Murió en 1711. Sus restos se encuentran en un monumento en el centro de la ciudad que actualmente se llama Magdalena de Kino.

En 1732 llegó Agustín de Vildósola, quien provocó que los yaquis volvieran a la lucha contra los españoles cuando, en su afán de proteger a los misioneros, mandó fusilar a los jefes yaquis, Muni y Bernabé.

Otro importante colonizador fue Juan Bautista de Anza, quien nació en Fronteras, Sonora. En 1774, De Anza abrió una ruta o camino entre Sonora y la Alta California; en 1775 fundó y colonizó la ciudad de San Francisco, California, hoy en Estados Unidos de América. Murió en Arizpe el 19 de diciembre de 1778.

Eusebio Kino, *Historia general de Sonora*, 1985.

El indio, sustento de la economía

Durante la Colonia los indígenas fueron sometidos por los españoles, quienes los despojaron de sus tierras. Trabajaban en los ranchos y **haciendas** como peones y en las minas de cobre, oro y plata, bajo las órdenes de los **capataces** en largas jornadas de trabajo.

La crueldad de los españoles propició que los indígenas se rebelaran. Primero fueron los yaquis, en 1740, descontentos porque además de la forma inhumana en que los trataban, les exigieron entregar una cantidad de sus productos al gobierno; es decir, se les obligaba a pagar tributo.

Los yaquis empezaron a descuidar su trabajo, las cosechas se perdieron, hubo escasez de alimentos y comenzaron a asaltar misiones y haciendas.

Eusebio Kino, *Historia general de Sonora*, 1985.

Los españoles acapararon las mejores tierras

Sublevación de yaquis

Debido a que los españoles no lograban someter a los indígenas, el **virrey** envió a José de Gálvez a Sonora, en calidad de **visitador general**, con el objetivo de aumentar los ingresos fiscales e intervenir en asuntos de minería, comercio, rentas reales y defensa militar. Con ese propósito creó una casa de moneda en Álamos. Su presencia dificultó más las relaciones entre indígenas y españoles. Más tarde Gálvez enfermó gravemente y tuvo que regresar a España, donde murió en 1787.

Los españoles tomaron represalias que provocaron sangrientas luchas. La rebelión yaqui se extendió por casi todo el territorio de Sonora, pero al final fueron sometidos y tratados con mayor crueldad.

Durante mucho tiempo los españoles trataron de someter a los seris y reunirlos en las misiones, pero fue imposible porque eran un grupo con costumbres todavía nómadas.

La rebeldía de los seris afectó los intereses de los españoles, por lo que ordenaron la aprehensión de las familias de esta tribu y **deportaron** a mujeres y niños hacia otras partes de la Nueva España. Los seris tomaron venganza: hubo cruentas luchas, sobre todo cuando se les unieron pimas y pápagos.

Eusebio Kino, *Historia general de Sonora*, 1985.

José de Gálvez

Ideas principales

- Los españoles llegaron a Sonora, sometieron a los indígenas que ahí habitaban y colonizaron estas tierras a partir de 1637.
- Entre los colonizadores destacaron Juan Bautista Escalante y Agustín de Vildósola.
- Las misiones permitieron la colonización del territorio de Sonora.
- El padre Kino fundó varias misiones, evangelizó a los indígenas y trazó los primeros mapas de Sonora.
- Los yaquis y seris se levantaron en armas contra sus explotadores.

Actividades

1. Comenta con tu grupo y tu maestro las respuestas de las siguientes preguntas:

   ¿Qué eran las misiones?

   ¿Cuáles fueron los propósitos de los misioneros?

   ¿Quiénes fueron los españoles que participaron en la colonización del territorio sonorense?

   ¿A qué lugares llegaron?

   ¿Cuáles sitios fundaron?

   ¿Contra qué grupos indígenas se enfrentaron?

2. Contesta y escribe, ¿por qué crees que algunos grupos indígenas se rebelaron ante la conquista y colonización de su territorio?

   _____

   _____

   _____

   _____

   _____

Comenta tu respuesta en tu grupo.

La Independencia

| México prehispánico | La Colonia | La Independencia | La Reforma | El Porfiriato | La Revolución Mexicana | Sonora hoy |

Durante la Colonia, los españoles ocupaban los principales puestos en el gobierno y tenían las mayores riquezas; los criollos, nacidos en la Nueva España pero de padres españoles, tenían también riquezas, pero no tenían acceso al poder político; por su parte, muchos indígenas fueron convertidos en esclavos al servicio de españoles y criollos, realizaban trabajos más pesados y recibían malos tratos. Esta situación ya había provocado un gran descontento entre la población de la Nueva España.

Mientras tanto, en España ocurrieron sucesos que repercutieron en sus colonias de América; por ejemplo, Francia invadió a España y comenzó la guerra; también empezaron a surgir ideas diferentes para tener nuevas leyes que limitaran la autoridad del rey.

Aprovechando la situación que había dentro y fuera de la Nueva España, un grupo de criollos encabezados por Miguel Hidalgo y Costilla, inició, en la madrugada del 16 de septiembre de 1810, la lucha armada por la Independencia de México. Querían terminar con el mal gobierno. A esta lucha se unieron indígenas y mestizos.

José María González Hermosillo

Alejo García Conde

En Sonora el movimiento de Independencia tuvo simpatizantes, pero la lejanía, las dificultades en la comunicación, la ignorancia y miseria en la que se encontraba la gente, entre otras razones, no permitieron que los sonorenses participaran ampliamente en esta lucha. Sin embargo, en Guadalajara, Hidalgo envió a José María González Hermosillo a propagar la lucha en el noroeste de la Nueva España. Al conocer el gobernador colonial, Alejo García Conde, el movimiento de Independencia, salió hacia el sur al mando de las **tropas realistas**, las cuales tenían también entre sus filas a indígenas ópatas; en el enfrentamiento de San Ignacio Piaxtla, población de la actual Sinaloa, las **tropas insurgentes** de González Hermosillo fueron derrotadas por las de García Conde.

En esa época Sonora y Sinaloa formaban un solo territorio que se llamaba Intendencia de Arizpe.

A la muerte de Hidalgo, en 1811, José María Morelos y Pavón continuó esta lucha, en la que demostró ser un magnífico **estratega** militar. Morelos nos dejó como herencia valiosos documentos históricos, en los cuales exponía sus ideas de independencia.

La guerra de Independencia repercutió en Sonora. Al irse las tropas rea-

Ruta de las expediciones de González Hermosillo y García Conde, en un mapa actual de México

listas al sur para combatir a los insurgentes, la frontera norte quedó desprotegida, de este modo los ataques apaches se intensificaron. Se interrumpieron las rutas de comercio, no se podían transportar los metales de una zona a otra y el dinero no llegaba a las misiones. Esta inestabilidad duró 10 años.

La lucha de Independencia se consumó el 27 de septiembre de 1821, como resultado del Plan de Iguala que habían firmado Agustín de Iturbide, jefe del ejército español, y Vicente Guerrero, jefe del ejército insurgente. En Sonora, Alejo García Conde se sumó al Plan de Iguala y a la decisión de la Diputación Provincial, que reunida en Durango proclamó también la Independencia.

Posteriormente, en la Ciudad de México se nombró emperador a Agustín de Iturbide; así, México se convirtió en un **imperio**. Ese imperio no tuvo éxito y los mexicanos decidieron organizarse en una **república**. Con este propósito se aprobó la Constitución de los Estados Unidos Mexicanos, en octubre de 1824. Ese mismo año se eligió como primer presidente de la República Mexicana a Guadalupe Victoria, y Sonora quedó integrada al Estado Unido de Occidente.

El 13 de octubre de 1830, el Estado Unido de Occidente se dividió en dos estados: Sonora y Sinaloa, y el 13 de marzo de 1831 se instaló en la ciudad de Hermosillo el **Congreso Constituyente** que declaró a Sonora estado libre, soberano e independiente. En honor al insurgente José María González Hermosillo la actual capital de nuestro estado lleva su apellido.

Fue nombrado como gobernador **provisional** Leonardo Escalante, y durante su gobierno, el 8 de diciembre de 1831, se promulgó la primera Constitución Política del estado. En 1832 se eligió al primer gobernador constitucional de Sonora: Manuel Escalante y Arvizu.

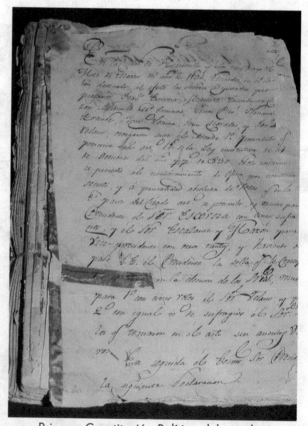

Primera Constitución Política del estado

Ideas principales

- Miguel Hidalgo y Costilla inició la lucha de Independencia el 16 de septiembre de 1810. A su muerte la continuó José María Morelos y Pavón.

- José María González Hermosillo intentó dirigir el movimiento en el noroeste de la Nueva España, pero fue derrotado por las tropas de Alejo García Conde.

- Vicente Guerrero y Agustín de Iturbide proclamaron, en 1821, la Independencia de México.

- En 1824 se promulgó la Constitución Política de los Estados Unidos Mexicanos y en 1831 la de Sonora.

- El primer gobernador constitucional de Sonora fue Manuel Escalante y Arvizu.

Actividades

1. Prepara en equipo una conferencia escolar sobre la Independencia. La conferencia escolar consiste en exponer frente a los demás compañeros un tema, es decir, platicar los aspectos interesantes, importantes o curiosos que hayas investigado; para apoyar la conferencia y que ésta sea más atractiva se pueden usar fotos, carteles u objetos.
¡Prepárate muy bien para exponer la parte del tema que te haya tocado!

2. Invita a los demás equipos a exponer ante todos los alumnos de la escuela los materiales elaborados para las conferencias. Sugiere algún título para la exposición.

La defensa de Guaymas y Caborca

Durante los primeros años de vida independiente, México tuvo muchos problemas políticos y económicos.

Se formaron dos grupos con ideas distintas sobre cómo debía organizarse y gobernarse el país: los liberales y los conservadores.

Los conservadores querían mantener los privilegios que habían tenido durante la Colonia y que un rey nos gobernara; los liberales deseaban un gobierno republicano, elegido por el pueblo y con igualdad para todos.

Durante 30 años, las constantes luchas entre unos y otros provocaron que en el país no hubiera paz. Estos movimientos armados repercutían en toda la nación. En Sonora desapareció el Congreso local y en 1837 fue nombrado gobernador interino Manuel María Gándara.

Con el apoyo de Antonio López de Santa Anna, entonces presidente de la República, Gándara gobernó Sonora, alternándose con otras personas en diversas ocasiones hasta el año de 1856, en que fue combatido y derrotado por Ignacio Pesqueira. Gándara abandonó Sonora y se fue a vivir a Chihuahua.

Los constantes cambios políticos en México ocasionaron que los **filibusteros** trataran de apoderarse del territorio sonorense.

Cuando Gándara era gobernador de Sonora, entre 1850 y 1854, algunos franceses que huían de su país por problemas económicos y políticos llegaron a California que era parte de México; actualmente pertenece a Estados Unidos de América.

Uno de esos franceses, Gastón Raousset de Boulbon, enterado de que había grandes riquezas en territorio sonorense, preparó en San Francisco una invasión al estado de Sonora.

Gobierno de Sonora, *Historia general de Sonora*, 1985.

Manuel María Gándara

124

Batalla entre filibusteros franceses y los defensores de Guaymas

Gastón Raousset llegó a Guaymas con hombres armados, por lo que el general Miguel Blanco le ordenó salir de Sonora. Raousset fingió obedecer pero después regresó con más hombres y armas.

Cuando llegó nuevamente a Guaymas, Raousset se encontró con el general José María Yáñez, quien con un ejército de 300 hombres defendió la ciudad y venció a los franceses el 13 de julio de 1854. Esta ba-talla dio lugar al nombre de *Heroico puerto de Guaymas*. El 12 de agosto de ese año Raousset fue juzgado y fusilado.

Al año siguiente, en 1855, un estadunidense llamado Henry Alexander Crabb llegó a las ciudades de Guaymas, Ures y Hermosillo con la intención de invadir Sonora. El primero de abril de 1857 atacó Caborca durante cinco días, con un grupo de hombres armados. La gente de

125

Caborca respondió defendiendo a su comunidad. El 6 de abril de 1857, Francisco Javier, un indio pápago, prendió fuego con sus flechas a la pastura seca que estaba junto a las casas de los invasores. Con el fuego explotaron unos barriles de pólvora y los filibusteros salieron y se rindieron incondicionalmente.

Monumento al general José María Yáñez

Al día siguiente Henry Alexander Crabb y sus compañeros fueron fusilados. Por la defensa valiente de nuestra soberanía se conoce a esta ciudad como *Heroica Caborca*.

Templo de Caborca, lugar de la defensa

Ideas principales

- Manuel María Gándara gobernó Sonora varias veces de 1837 a 1856.

- Durante el gobierno de Gándara y de Pesqueira, Sonora fue invadida por extranjeros.

- El francés Gastón Raousset fue combatido y vencido por José María Yáñez en Guaymas.

- Los sonorenses derrotaron al estadunidense Henry Alexander Crabb en Caborca.

Actividades

1. Contesta en tu cuaderno las siguientes preguntas:

   ¿Por qué se llama *Heroico puerto de Guaymas?*

   ¿Cómo repercutieron las luchas de los liberales y los conservadores en Sonora?

   ¿Por qué crees que la gente defendió el puerto de Guaymas y la ciudad de Caborca?

2. Elabora con tu equipo una línea del tiempo en una tira larga de papel, que abarque de 1837 a 1886. El siguiente esquema puede servirte de apoyo:

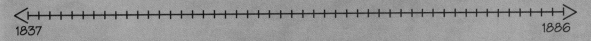

1837   1886

   - Escribe después un letrero con un suceso importante.

   - Colócalo en el año que le corresponda.

   - Si puedes, ilústralo.

   - Comenta en tu grupo la línea del tiempo que elaboraste con tu equipo.

   - Guarda la línea porque la usarás en la siguiente lección.

127

id="4" />

Sonora durante la Reforma

| México prehispánico | La Colonia | La Independencia | La Reforma | El Porfiriato | La Revolución Mexicana | Sonora hoy |

Como parte de los problemas que enfrentó México en el siglo XIX, estuvo el de su territorio. El estado de Texas, que era parte de nuestro país, decidió declarar su independencia en 1836 y anexarse a Estados Unidos de América en 1845. Al no quedar definidas las nuevas fronteras entre México y Estados Unidos de América, éste declaró la guerra a nuestro país en 1846. En 1847 los estadunidenses llegaron hasta la Ciudad de México, donde hubo varias batallas, la última fue la de Chapultepec, donde lucharon en contra de los alumnos del Colegio Militar, quienes defendieron con su vida a la nación; especialmente cada 13 de septiembre se recuerda a seis cadetes a los cuales llamamos los Niños Héroes.

El 2 de febrero de 1848, México y Estados Unidos de América firmaron el Tratado de Guadalupe Hidalgo, por el cual México perdió gran parte de su territorio.

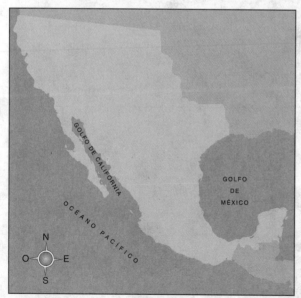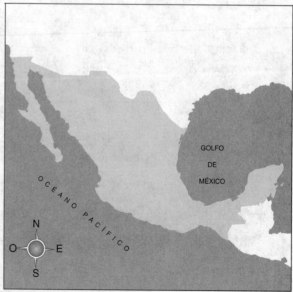

México, antes y después de perder parte de su territorio

Niños Héroes

Juan Álvarez, presidente de la República, convocó al Congreso para elaborar una nueva Constitución General de la República, que fue **promulgada** el 5 de febrero de 1857.

En ese tiempo Ignacio Pesqueira García era gobernador **interino** de Sonora y ordenó que se jurara la Constitución Federal para hacerla cumplir, esto ocurrió en la ciudad de Ures, capital del estado en ese momento.

Al amparo de las nuevas leyes fue elegido gobernador constitucional y asumió el cargo el 28 de agosto de 1857.

Durante el gobierno de Pesqueira, se mejoró la producción, se construyeron caminos y los puertos de Santa Cruz y Libertad, se autorizó la creación de dos casas de moneda, una en Álamos y otra en Hermosillo, se fomentó la minería, se pacificó a los grupos indígenas y se defendió la soberanía de Sonora durante la invasión de Caborca.

En el país continuó la lucha entre los liberales que apoyaban la Constitución de 1857 y los conservadores que la rechazaban, por lo que en 1858 empezó la llamada Guerra de Reforma o Guerra de los Tres Años.

Monumento a Ignacio Pesqueira García

129

En 1859 el gobierno liberal de Benito Juárez promulgó las Leyes de Reforma, donde se establecía la nacionalización de los bienes del **clero**, la creación del Registro Civil y la libertad de creencias religiosas.

En 1861 Sonora tuvo una nueva Constitución, ésta contenía las ideas liberales de la Constitución de 1857 que regía en todo el país.

En Sonora la labor de Pesqueira fue reconocida por la población, y en 1861 se reeligió para un segundo periodo de gobierno. Pero como el estado sufrió las consecuencias de las guerras se dejó de producir en gran cantidad y el comercio disminuyó.

Benito Juárez García

Ante esta situación, Pesqueira reorganizó su gobierno. Hizo funcionar los ayuntamientos. Instaló el departamento que impartía justicia en Ures. Se reabrieron las escuelas en el estado. Apoyó la lucha de Reforma de Benito Juárez y peleó contra grupos sonorenses que apoyaban el gobierno monárquico de Maximiliano de Habsburgo, quien fue impuesto por los conservadores como emperador de México en 1864.

Ignacio Pesqueira García siguió participando en la vida política del estado, ocupando el poder en varias ocasiones hasta que decidió retirarse a la vida privada en su hacienda de Bacanuchi, donde murió el 4 de enero de 1886.

Gobierno de Sonora, Historia general de Sonora, 1985.

Maximiliano de Habsburgo

Ideas principales

- En 1848, México perdió gran parte de su territorio.
- En 1857 se promulgó la nueva Constitución Política Federal. En Sonora se eligió a Ignacio Pesqueira como gobernador constitucional y en el estado se mejoró la situación social y económica.
- Durante el gobierno de Benito Juárez se promulgaron las Leyes de Reforma, que fueron apoyadas por Pesqueira en Sonora.
- Ignacio Pesqueira fue gobernador de Sonora en varias ocasiones. Murió en 1886.

Actividades

1. Ilustra las acciones organizadas por el gobierno de Ignacio Pesqueira en cuanto a:

Construcción de caminos	Defensa de la soberanía
Creación de puertos	Reapertura de escuelas

2. Utiliza nuevamente con tu equipo la línea del tiempo que elaboraste en la lección anterior. Registra los sucesos que estudiaste en el año que les corresponde. Ilústralos. No olvides investigar el nombre de los Niños Héroes.

Sonora durante el Porfiriato

| México prehispánico | La Colonia | La Independencia | La Reforma | El Porfiriato | La Revolución Mexicana | Sonora hoy |

A la muerte de Juárez, en 1872, Sebastián Lerdo de Tejada asumió la presidencia de la República y gobernó hasta 1876, año en que intentó reelegirse, es decir, volver a ocupar el mismo cargo. Por esta razón Porfirio Díaz, militar que destacó en la guerra de México contra la invasión francesa, organizó un movimiento de protesta exigiendo la **no reelección**.

La rebelión tuvo éxito y Lerdo dejó la presidencia. Díaz convocó a elecciones, las ganó y asumió la presidencia en 1877. El general Porfirio Díaz, tras sucesivas reelecciones, gobernó al país durante más de 30 años. Manuel González sólo ocupó el periodo presidencial de 1880 a 1884. A la etapa que va de 1877 a 1911 se le conoce como Porfiriato.

El presidente Díaz envió al general Vicente Mariscal para que reorganizara el gobierno de Sonora. En 1877 Mariscal ganó las elecciones para gobernador.

El general Vicente Mariscal reorganizó la administración pública y las finanzas estatales; sin embargo, la situación del estado no mejoró. Mariscal pidió una licencia para ir a la Ciudad de México y Francisco Serna fue nombrado gobernador interino. A su regreso, Mariscal retomó la gubernatura, pero los problemas continuaron, por lo que

Porfirio Díaz Mori

decidió retirarse del cargo. Asumió nuevamente la gubernatura Francisco Serna.

Uno de los hechos importantes ocurridos durante el gobierno de Serna fue que el 26 de abril de 1879 cambió la capital del estado de Ures a Hermosillo.

Ese año se eligió como gobernador a Luis Emeterio Torres, quien impulsó la educación, la minería, la agricultura, la ganadería y las comunicaciones, además de que instaló el telégrafo entre Guaymas y Hermosillo, y el teléfono en esta última ciudad.

Carlos Rodrigo Ortiz Retes

Luis Emeterio Torres entregó el poder a Carlos Rodrigo Ortiz Retes el primero de septiembre de 1881. El gobernador Ortiz Retes impulsó la explotación de las riquezas de la entidad, otorgó una **concesión** para establecer el Banco de Sonora, autorizó la construcción de las líneas del ferrocarril de Álamos a Yavaros y de Guaymas a Nogales, y mejoró la educación pública.

A pesar del progreso económico general que se alcanzó en el país y en Sonora, Díaz aplicaba una política de control de todo el pueblo y el resto de sus gobernantes. Se reprimió a quienes protestaban por la injusticia y el mal reparto de la riqueza. Poco a poco el gobierno de Díaz se fue convirtiendo en una **dictadura**.

General Francisco Serna

133

Sonora, los yaquis y los mayos se levantaron en armas en defensa de sus tierras, de sus derechos y de su independencia. Esta lucha contra los gobiernos porfiristas estatales y federal duró más de 20 años.

El líder yaqui José María Leyva Pérez, a quien le decían *Cajeme,* fue nombrado capitán general de los yaquis y mayos en 1874. Luchó más de 10 años por la independencia de su pueblo, hasta que lo aprehendieron, lo

Juan Maldonado Guagüetchia, *Tetabiate*

juzgaron en Cócorit y lo fusilaron en un lugar llamado Las Tres Cruces, el 25 de abril de 1887. Ese año hubo elecciones que ganaron Lorenzo Torres para gobernador y Ramón Corral para vicegobernador.

Los yaquis en 1889 siguieron luchando bajo la guía de Juan Maldonado Guagüetchia, *Tetabiate,* que quiere decir *piedra que rueda.* Durante años se hicieron diferentes intentos de acercamiento con los yaquis y los mayos, hasta que el 15 de mayo de 1897 se firmó el Tratado La paz de Ortiz entre los indígenas y el vicegobernador Ramón Corral para devolverles sus tierras y para que se les brindaran otros apoyos a sus pueblos.

José María Leyva Pérez, *Cajeme*

Ideas principales

- Porfirio Díaz fue presidente de la República por un periodo de más de 30 años, al que se le llama Porfiriato.

- El gobernador Francisco Serna cambió la capital del estado de Ures a Hermosillo.

- Durante el gobierno de Luis Emeterio Torres se dio un fuerte impulso a la educación y a las comunicaciones en Sonora.

- *Cajeme* y *Tetabiate* fueron líderes de los yaquis y mayos en la lucha por sus tierras, sus derechos y la independencia de sus pueblos.

Actividades

1. Observa la línea del tiempo de la página 132, fíjate en cada dibujo y su letrero. Comenta con tus compañeros qué significa cada dibujo. Recuerda qué pasó en Sonora durante cada una de esas etapas.

2. Contesta las siguientes preguntas:

¿Qué etapa fue antes del Porfiriato?

_____

¿Cuál fue después?

_____

¿Por qué se rebelaron los yaquis y los mayos durante el Porfiriato?

_____

_____

_____

_____

_____

La huelga de Cananea

Durante la dictadura de Porfirio Díaz nuestro país vivió en paz y progresó en varios aspectos, la economía recibió un fuerte impulso por la llegada de **capitales** extranjeros, sin embargo, como ya te dijimos, los beneficios no llegaban a todos, la mayor parte de la población vivía en condiciones miserables. Esto mismo ocurrió en Sonora, ya que los gobernadores protegían a un pequeño grupo de personas, quienes se enriquecían a costa del pueblo.

En Cananea, el estadunidense William Cornell Greene instaló la Cananea Consolidated Copper Company (Compañía de Cobre Cananea) para la explotación del cobre, ésta era la mina más grande del país. La explotación del cobre fue y sigue siendo muy importante para el desarrollo económico de México y de Sonora.

Los mineros mexicanos eran tratados en forma inhumana, laboraban jornadas de 12 horas o más, no tenían días de descanso y recibían un pago de tres pesos diarios; en cambio, los trabajadores extranjeros recibían un trato privilegiado. Todo esto lo permitía el gobierno porfirista.

Dirección General de Documentación y Archivo del Gobierno del Estado de Sonora.

Panorámica de Cananea en 1906

Estación del ferrocarril en Cananea en 1907

Dirección General de Documentación y Archivo del Gobierno del Estado de Sonora.

Ante estos abusos, los mineros mexicanos se organizaron para luchar por condiciones de trabajo más justas; así, en 1906 formaron la Unión Liberal Humanidad. En este grupo destacaron Francisco M. Ibarra, Manuel M. Diéguez y Esteban Baca Calderón.

En la madrugada del primero de junio de 1906 los trabajadores iniciaron una huelga y recorrieron calles de Cananea llevando banderas mexicanas y carteles con sus peticiones. Las autoridades reprimieron a los trabajadores y murieron muchas personas. En respuesta, los trabajadores prendieron fuego a una maderería.

En estos actos murieron algunos estadunidenses, William C. Greene pidió ayuda al gobernador de Sonora, Rafael Izábal, quien dio instrucciones para que se movilizara el ejército y permitió además que un grupo de **rangers** entrara al país para combatir a los huelguistas.

Tres días después, el 5 de junio, detuvieron y encarcelaron a los líderes del movimiento. Años después de concluida la Revolución fueron puestos en libertad.

La huelga de Cananea fue el primer movimiento obrero importante en nuestro país que sacudió a la dictadura porfirista, porque ocurrió en una de las fábricas más grandes y de propiedad extranjera. Además porque los obreros supieron defender valerosamente sus derechos; esta huelga se recuerda en la historia de México como un símbolo de lucha y de defensa de los derechos laborales.

El Héroe de Nacozari

La tarde del 7 de noviembre de 1907, en la estación de Placeritos de Nacozari, Jesús García Corona, un joven maquinista, esperaba su turno para entrar a trabajar cuando le avisaron que sobre el techo de dos **furgones** que contenían dinamita se estaban quemando unas pacas de pastura seca, lo que provocaría una gran explosión, causando graves daños y muertes en la población. Rápidamente enganchó los furgones a la máquina y condujo el tren fuera del poblado.

Antes de llegar al kilómetro 6 la dinamita explotó. El joven maquinista no pudo salvar su vida, pero salvó a los habitantes de Nacozari. Por su valentía, a ese joven se le conoce como el Héroe de Nacozari y la po-

blación tomó el nombre de Nacozari de García.

Jesús García encarna el desinteresado sacrificio. Su nombre está escrito con letras de oro en el local del Congreso del Estado, y su acto heroico se incluye en los libros de texto de otros países como un ejemplo de la gente de Sonora y México.

Sus restos se encuentran al pie de un monumento levantado en su honor en esta ciudad. ¿Conoces el corrido *Máquina 501*?

Monumento a Jesús García Corona

Ideas principales

- Durante el Porfiriato los extrangeros invirtieron dinero en México.
- En 1906, los obreros mexicanos de la mina de cobre de Cananea organizaron una huelga para exigir mejores salarios e igual trato para todos los trabajadores.

Actividades

1. Investiga, con familiares o en libros, más detalles acerca de las condiciones de vida de los obreros durante el Porfiriato y de la huelga de Cananea.

2. Reúne la información y con ayuda de tu maestro realiza en equipo una escenificación del trato que daban los patrones de las empresas extranjeras a los obreros mexicanos en el Porfiriato,

3. Investiga la letra del corrido *Máquina 501* y cántala con tus compañeros.

4. Haz una historieta sobre la hazaña del Héroe de Nacozari.

La Revolución Mexicana

| México prehispánico | La Colonia | La Independencia | La Reforma | El Porfiriato | La Revolución Mexicana | Sonora hoy |

Los abusos cometidos durante el Porfiriato, principalmente contra los obreros y campesinos, a quienes se les había despojado de sus tierras, generaron protestas contra la dictadura.

Entre estos movimientos se distinguió el de Francisco I. Madero. Al principio los maderistas lucharon pacíficamente contra el gobierno porfirista. Madero organizó un partido y se presentó a las elecciones, hizo campaña por todo el país, pero Díaz volvió a reelegirse. Madero **proclamó** el Plan de San Luis, donde se hacía un llamado al pueblo a tomar las armas el 20 de noviembre

José María Maytorena y jefes yaquis

de 1910 en contra de la dictadura porfirista. Así se inició la Revolución Mexicana. En Chihuahua, encabezaron la Revolución Pascual Orozco y Francisco Villa; en Morelos, Emiliano Zapata.

Los sonorenses, encabezados por Salvador Alvarado, Juan G. Cabral, Severiano Talamante y sus dos hijos, participaron en esta Revolución. En el este de Sonora, los Talamante fueron derrotados y fusilados en Sahuaripa. Los indios yaquis también se sumaron al movimiento revolucionario. En Sonora recordamos con orgullo los triunfos de Francisco de Paula, en

Francisco I. Madero

Ures; de Juan G. Cabral en Cananea, y los de Benjamín Hill en Navojoa y Álamos.

En 1911 Porfirio Díaz renunció al poder. Francisco I. Madero fue elegido presidente de la República; en Sonora se eligió gobernador a José María Maytorena Tapia, originario de Guaymas.

Maytorena gobernó en medio de muchas dificultades, pues disminuyeron los ingresos por los fuertes gastos del gobierno anterior. Sin embargo, se organizó la **hacienda pública**, se creó la Dirección General de Educación Primaria, y se realizaron programas de alfabetización y de capacitación para maestros.

El 22 de febrero de 1913, en la Ciudad de México, el general Victoriano Huerta ordenó asesinar al presidente Francisco I. Madero y al vicepresidente José María Pino Suárez. Huerta asumió la presidencia. Esto provocó nuevos levantamientos armados en todo el país para derrocar al usurpador. En el norte del país lucharon Venustiano Carranza, Francisco Villa y el sonorense Álvaro Obregón, y en el sur Emiliano Zapata.

Carranza proclamó el Plan de Guadalupe, en el que desconocía a Huerta como presidente y a los gobernadores que lo apoyaban, por lo que

Maytorena se vio obligado a dejar su cargo.

En su lugar fue nombrado Ignacio L. Pesqueira como gobernador interino, quien solicitó permiso al Congreso local para unirse al Plan de Guadalupe y desconocer a Huerta.

Después de una serie de batallas triunfaron los revolucionarios y Huerta tuvo que dejar la presidencia. Los revolucionarios se dividieron: por un lado los villistas y zapatistas y por el otro los carrancistas y obregonistas. Estos últimos derrotaron a los primeros y el 5 de febrero de 1917 se promulgó la nueva Constitución, en ella muchas de las ideas revolucionarias se convirtieron en leyes. En abril de ese mismo año Carranza fue elegido presidente del país.

Dirección General de Documentación y Archivo del Estado, Sonora.

El gobernador José María Maytorena, Venustiano Carranza y Álvaro Obregón saliendo del Palacio de Gobierno de Sonora

Ideas principales

- Francisco I. Madero proclamó el Plan de San Luis, con el cual se inició la Revolución Mexicana el 20 de noviembre de 1910.
- Los sonorenses apoyaron el movimiento maderista contra la dictadura porfirista.
- En la lucha revolucionaria se distinguieron Emiliano Zapata, Venustiano Carranza, Francisco Villa y el sonorense Álvaro Obregón.
- Al triunfo de la Revolución Mexicana se proclamó la Constitución de 1917. Venustiano Carranza fue elegido presidente de México.

Actividades

1. Selecciona en equipo algunos hechos relevantes de la Revolución Mexicana ocurridos en Sonora.

2. Junto con tus compañeros redacta ese texto como si fuera una noticia. Para ello pidan apoyo al maestro.

Por ejemplo:

Hecho relevante	Noticiero histórico
En 1911 se eligió a José María Maytorena Tapia, originario de Guaymas, como gobernador de Sonora.	Aquí noticias históricas. Queremos informarles que ha sido elegido José María Maytorena Tapia como nuevo gobernador de Sonora. El gobernador Maytorena es originario de Guaymas. No deje de vernos en éste su canal familiar. Seguiremos informando...

3. Presenta con tu equipo el noticiario histórico al grupo como lo haría un locutor de radio o televisión. Háganlo de acuerdo con el orden en que ocurrieron los hechos.

4. Investiga y escribe en una hoja la historia de algún personaje sonorense de la época de la Revolución. Si puedes, ilústrala. Junta tu hoja con la de los demás compañeros y formen un álbum de biografías de revolucionarios sonorenses.

Sonora contemporáneo

Sonora después de la Revolución

En 1919 a las elecciones para gobernador de Sonora se presentaron dos candidatos: Ignacio L. Pesqueira, apoyado por Venustiano Carranza, y Adolfo de la Huerta, quien había sido ya gobernador interino del estado y contaba con el apoyo de Plutarco Elías Calles, jefe de las fuerzas armadas del país.

De la Huerta obtuvo la mayoría de los votos y asumió la gubernatura; en respuesta, el presidente Carranza intervino en los asuntos estatales: declaró propiedad federal la zona que comprende el río Sonora y persiguió a los yaquis. Pero los sonorenses Álvaro Obregón, Plutarco Elías Calles y De la Huerta, el 23 de abril de 1920 promulgaron el Plan de Agua Prieta, iniciando así una rebelión contra Carranza.

En el plan se desconocía a Carranza como presidente de México y se nombraba a Adolfo de la Huerta como jefe del Ejército Liberal Constitucionalista. Este ejército se apoderó de la capital de la República y Carranza escapó hacia Veracruz, pero fue asesinado en la sierra de Puebla.

De la Huerta ocupó provisionalmente la presidencia y el 5 de septiembre de 1920 fue electo presidente Álvaro Obregón. Obregón inició la reconstrucción del país y el reparto de tierras, y creó organizaciones como la Confederación Regional Obrera Mexicana (CROM). Plutarco Elías Calles fue su colaborador, contribuyó a la creación de las comisiones nacionales de Caminos y de **Irrigación** y a la promulgación de leyes sobre el reparto de tierras.

En 1923, en Veracruz, Adolfo de la Huerta desconoció como presidente a Obregón y se opuso a la candidatura presidencial de Plutarco Elías Calles. Aunque la rebelión se extendió a otros estados, el movimiento fue sometido y Calles fue electo presidente de la República en 1924.

Plutarco Elías Calles

G. Casasola, Historia gráfica de la Revolución Mexicana, 1973.

Adolfo de la Huerta

Ideas principales

- El Plan de Agua Prieta desconoció a Carranza como presidente de México.

- Adolfo de la Huerta fue gobernador del estado y presidente interino de México.

- En 1920 fue electo presidente de la República Mexicana el sonorense Álvaro Obregón.

Actividades

- Ordena los acontecimientos del siguiente listado: escribe en los paréntesis de la derecha los números del 1 al 5. El número 1 corresponderá al suceso que ocurrió primero y así sucesivamente.

- Álvaro Obregón fue electo presidente de la República   (   )
  e inició la reconstrucción del país.

- De la Huerta ocupó provisionalmente la presidencia   (   )
  de la República.

- Se celebraron elecciones para gobernador en Sonora.   (   )

- Se promulgó el Plan de Agua Prieta.   (   )

- En Veracruz, De la Huerta desconoció a Obregón y   (   )
  se opuso a la candidatura de Plutarco Elías Calles para presidente.

Reorganización de Sonora

Mientras en el país ocurría la rebelión de Adolfo de la Huerta, particularmente en Sonora se eligió como gobernador a Fausto Topete Almada. Durante su gobierno se impulsó la educación pública, se pavimentaron las calles de Hermosillo, se crearon caminos vecinales, se amplió la red telefónica y se fomentaron la minería, la agricultura y la ganadería.

En 1928, Álvaro Obregón fue reelecto presidente de la República, pero antes de retornar al cargo fue asesinado, por lo que el Congreso nombró presidente interino a Emilio Portes Gil. Al año siguiente, bajo la influencia de Plutarco Elías Calles, se convocó a nuevas elecciones nacionales.

Fausto Topete y el jefe de operaciones militares en Sonora, Francisco R. Manzo, no estuvieron de acuerdo con la intervención de Calles, por lo que el 3 de marzo de 1929 lanzaron el Plan de Hermosillo, para desconocer a Portes Gil y nombrar al general José González Escobar como jefe de los ejércitos revolucionarios.

Gustavo Casasola, *Historia gráfica de la Revolución Mexicana*, 1973.

Fausto Topete, Francisco Serrano y Álvaro Obregón

Lázaro Cárdenas del Río

Rodolfo Elías Calles

El movimiento conocido como *rebelión renovadora* duró dos meses y terminó cuando el general Lázaro Cárdenas, al frente de tropas federales, ocupó la ciudad de Hermosillo. Francisco Serrano Elías fue nombrado gobernador interino y desempeñó esta función de 1929 a 1931.

Por esos años, la población china que había llegado a nuestra entidad durante el Porfiriato, se dedicaba a la minería, el comercio y la agricultura, y con el tiempo algunos acumularon grandes fortunas; para algunos sonorenses adinerados era difícil competir con los negocios de los chinos, por eso comenzaron a presionarlos.

Durante el gobierno de Francisco Serrano, se presionó a los chinos con medidas arbitrarias, tales como altos

147

impuestos, medidas sanitarias exageradas, venta de un solo tipo de producto en sus negocios, prohibición de matrimonios entre chinos y mexicanos y otras más, hasta que en 1931, siendo gobernador Rodolfo Elías Calles, de quien puedes observar su fotografía en la página anterior, se decretó la salida de la población china de Sonora.

Dirección General de Documentación y Archivo del Gobierno del Estado de Sonora.

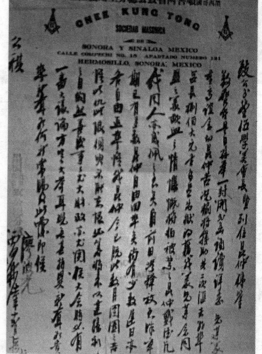

Fotografías de documentos y población china de esa época

Ideas principales

- Fausto Topete lanzó el Plan de Hermosillo. En él se pedía la destitución de Emilio Portes Gil como presidente interino.

- En el Plan de Hermosillo se reconocía a José González Escobar como jefe de los ejércitos revolucionarios del país. Esta lucha fue conocida como *rebelión renovadora*.

- El gobernador Rodolfo Elías Calles decretó la salida de los chinos del territorio sonorense, en 1931.

Actividades

1. Relaciona las dos columnas con líneas. Une la oración de la izquierda con el nombre que le corresponda en la columna de la derecha:

El *Plan de Hermosillo*, promulgado en 1929, tuvo como propósito reconocer a...

Porfirio Díaz

La población china comenzó a establecerse en Sonora desde la época del presidente...

Rodolfo Elías Calles

El *Plan de Hermosillo* trató de derrocar al presidente...

Emilio Portes Gil

Fue gobernador de Sonora, impulsó la educación, apoyó la minería, la ganadería y la agricultura, y encabezó un movimiento para desconocer al gobierno federal.

Fausto Topete Almada

Decretó la salida de la población china de Sonora en 1931.

José González Escobar

El desarrollo de Sonora

| México prehispánico | La Colonia | La Independencia | La Reforma | El Porfiriato | La Revolución Mexicana | Sonora hoy |

En los últimos 70 años, en Sonora la gente ha trabajado mucho para lograr el progreso que hoy tenemos. Entre las actividades productivas más importantes de nuestra entidad están la agricultura, la ganadería, la pesca, la minería, el turismo y la industria en general.

En Sonora se siembra una gran variedad de productos, como: trigo, algodón, hortalizas, uvas y otras frutas. Nuestro estado aporta 40% de la producción nacional de trigo, es además el productor principal de uva y un gran exportador de granos y hortalizas.

Somos un estado ganadero por excelencia; criamos un millón 500 mil cabezas al año, de las que se exporta un alto porcentaje de ganado en pie a Estados Unidos de América.

Somos también uno de los principales productores de carne de cerdo en el país: se crían dos millones de cerdos al año; lo mismo podemos decir de la producción de aves y huevo, de

los cuales Sonora aporta gran cantidad al mercado estatal y nacional.

Un rico patrimonio natural para la pesca es el mar de Cortés, uno de los más poblados en especies marinas en la República que nos privilegia con un litoral de 1207 km. Su riqueza marina, aunada al esfuerzo de los pescadores y productores sonorenses, nos ha permitido ser uno de los primeros abastecedores de estos productos en el país, como también exportadores, principalmente de camarón, ostión y sardina.

Cosecha de trigo

150

La minería ocupa un lugar muy importante en la economía y el desarrollo de Sonora. Su histórica tradición forma parte de la grandeza de nuestro estado, que hoy es el primer productor de oro, cobre, molibdeno, barita y grafito. Se procesan más de 184 mil toneladas diarias de materiales, en las diferentes minas que se encuentran en Nacozari de García, Cananea y Cucurpe, entre otras; lo cual representa aproximadamente 62% del total nacional.

Hay otras actividades importantes en nuestra entidad, como la maderera, la textil, la ensambladora de autos, la cementera y otras que procesan alimentos y fertilizantes. La mayoría de estas industrias se localizan en San Luis Río Colorado, Nogales, Cananea, Agua Prieta, Hermosillo, Guaymas, Ciudad Obregón, Navojoa y Huatabampo.

Otras actividades que impulsan el desarrollo de Sonora son la industria maquiladora y el turismo. En nuestra entidad existen 185 fábricas que dan más de 75 mil empleos, ocupando el quinto lugar en el país.

Por otra parte, el turismo es una creciente industria que se ha impulsado para ofrecer a los visitantes nacionales y extranjeros la hospitalidad de los sonorenses, en lugares como playas, montañas, desiertos, bosques, presas y centros fronterizos. Tenemos un patrimonio cultural

Ganado ovino

Mina de Nacozari

formado por edificios coloniales en Álamos, Ures y Arizpe, los edificios de las misiones de Cocóspera, Caborca y Tubutama; las zonas arqueológicas de la etapa prehispánica, como la que se encuentra en el parque natural de La Pintada, localizada en la Sierra de Enmedio, entre Hermosillo y Guaymas, y las artesanías que elaboran los grupos indígenas sonorenses. Sólo conociendo este patrimonio natural y cultural nos podemos explicar la geografía e historia de Sonora.

Como puedes ver, tú eres parte de un estado que tiene una gran variedad y cantidad de recursos naturales y culturales, que nuestros padres y abuelos han sabido explotar y conservar para tener el progreso que hoy disfrutamos. Tu tarea será conocerlos, amarlos y protegerlos, para que mediante su cuidado sigas contribuyendo al bienestar y a resolver los problemas de Sonora y de México.

Ensambladora de autos

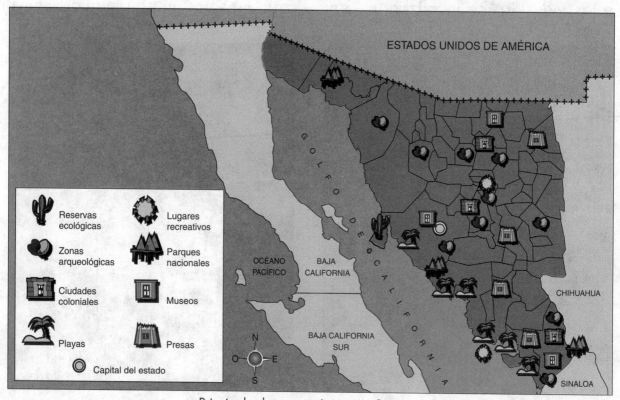

Principales lugares turísticos en Sonora

Ideas principales

- El progreso de nuestro estado se debe a la unidad y al trabajo organizado de todos los sonorenses.

- Las principales actividades productivas son la agricultura, la ganadería, la pesca, la minería y la industria.

- Existen actividades importantes que generan muchos empleos para los sonorenses, como las maquiladoras, el turismo y las procesadoras de alimentos.

Actividades

1. De las actividades económicas mencionadas en la lección, investiga cuáles se realizan en tu comunidad.

_____

_____

_____

_____

_____

2. Con la información recabada, elabora un resumen e ilústralo con dibujos de los productos más importantes.

3. Si puedes, organiza con tu maestro y tu grupo una visita a algún sitio o edificio histórico, a alguna zona arqueológica o museo que esté cercano a tu comunidad; así conocerás más de la geografía y la historia de Sonora que ya estudiaste. Haz dibujos, croquis o algún escrito después de realizar la visita.

Sonora en la actualidad

Los modernos medios de comunicación, como el teléfono, el telégrafo, el cine, la prensa, la radio y la televisión, la cual también recibe señales por medio de **satélites artificiales**, influyen en las actividades diarias de los sonorenses porque proporcionan información, difunden actividades culturales y recreativas, facilitan la toma de decisiones en el gobierno, la industria, el comercio y los bancos; además de que nos permiten la comunicación hacia todas partes.

En la entidad contamos con estaciones de radio de cobertura estatal y regional, entre las que hay de tipo cultural, como Radio Sonora y Radio Universidad. Contamos también con un amplio servicio de televisión con cuatro canales locales: Telemax, Canal 12 y 8

(UNI-SON) en Hermosillo y Canal 2 en Ciudad Obregón; su señal llega a 95% del territorio sonorense.

Con estos adelantos tecnológicos nos enteramos enseguida de los acontecimientos más importantes que suceden en cualquier parte de Sonora, del resto del país y del mundo.

Torre de comunicaciones

Antena parabólica

154

En todos los poblados sonorenses realizamos esfuerzos para resolver los problemas y mejorar los servicios que contribuyen al bienestar de quienes vivimos aquí. La mayoría de la población cuenta con servicios médicos, agua potable, drenaje, energía eléctrica y vivienda.

Un ejemplo es la educación: cada día se reduce más el número de personas que no saben leer ni escribir, nuestro promedio de escolaridad es de segundo grado de secundaria. Funcionan en el estado más de cuatro mil escuelas de preescolar, primaria, secundaria y estudios medios, en las cuales más de 670 mil niños y jóvenes estudian. Existen también universidades que ofrecen distintas carreras, así como bibliotecas, centros culturales y diversas opciones para formarnos y capacitarnos.

Hemos llegado al final del viaje por Sonora. Ahora conoces la geografía

Edificio con oficinas administrativas del gobierno del estado

Parque popular infantil del DIF

Bulevar Luis Donaldo Colosio Murrieta, Hermosillo, Sonora

Parque recreativo La Sauceda

e historia de nuestra entidad. Sin embargo, todos los días puedes seguir aprendiendo más para que con tus conocimientos y esfuerzo colabores en la solución de los problemas que Sonora y México enfrentan, pero también a conservar, mejorar y cuidar lo que tenemos y somos.

Bulevar Kino, Hermosillo, Sonora

Universidad de Sonora

Proyecto Río Sonora

Honores a los símbolos patrios

Ideas principales

- Sonora cuenta con excelentes medios de comunicación que nos permiten conocer más el estado, el país y el mundo; nos acercan a otros, y enriquecen nuestra cultura.

- Cada día hacemos todo lo posible por obtener mejor educación. En Sonora contamos con muchas escuelas para formarnos y capacitarnos en lo que más nos guste.

Actividades

1. Para conocer más de Sonora, en equipo y con el apoyo de tu maestro y tus familiares, escribe una breve Monografía de la comunidad, recopila la información que investigaste en algunas actividades que ya realizaste y completa la que te falte. Incluye los siguientes temas de la geografía y la historia de tu comunidad:
   - Municipio al que pertenece y sus autoridades.
   - Región a la que pertenece, flora y fauna, ríos y montañas que se encuentran en ella.
   - Sus medios de comunicación y transporte.
   - Su participación en la historia de la entidad y del país; sus personajes más famosos y lo que hicieron.
   - Características actuales de la comunidad y a qué se dedican sus habitantes.
   - Servicios con que cuenta; escuelas y centros de salud a los que acuden sus pobladores.
   - Lugares cercanos a tu comunidad que tienen un atractivo turístico y que forman parte del patrimonio natural o cultural.
   - Las fiestas y tradiciones más importantes, y la forma en que se llevan a cabo.
   - La comida típica, y cómo es la manera en que se viste la gente.
   - Grupos indígenas que habitan cerca.
   En fin, toda la información necesaria para conocer tu comunidad.

2. Con esta información realiza en equipo dibujos, carteles, álbumes o periódicos murales. Distribúyanlos y coméntenlos entre sus amistades, alumnos de la escuela, familiares y vecinos, para que ellos también conozcan y aprecien más el lugar donde viven.

Glosario

Acantilados: formas en el relieve que se caracterizan por ser un desnivel brusco, rocoso y escarpado, casi vertical en el terreno.

Alianzas: pactos, uniones.

Bacanora: bebida típica de Sonora derivada del maguey.

Bandas: grupos compuestos por varias familias.

Caedizas: que perecen, que caen fácilmente.

Capataces: personas que vigilaban a los trabajadores en las haciendas.

Capitales: dinero destinado para cierta actividad.

Caudaloso: río que lleva mucha agua.

Clero: conjunto de sacerdotes miembros de la Iglesia católica.

Concesión: permiso.

Congreso Constituyente: reunión de diputados que se encargan de elaborar una constitución.

Deportaron: enviaron a la gente por la fuerza a vivir en otro territorio.

Dictadura: sistema político en el que una persona ejerce el poder sin limitaciones constitucionales.

Diputados: ciudadanos elegidos cada tres años, por medio del voto, para integrar los Congresos locales o el de la Unión.

Equino: referente al caballo.

Escarpado: terreno con gran inclinación, de difícil acceso por su forma irregular.

Especias: productos que sirven para condimentar y conservar la comida, como la pimienta, el clavo, la canela y el comino.

Estratega: que sabe dirigir las operaciones militares.

Étnicos: características comunes de un grupo de personas que comparten lengua, origen, religión y diversas manifestaciones culturales.

Expediciones: viajes para conocer algunos lugares.

Exportación: venta de productos de un país a otro.

Filibusteros: nombre que se dio a algunos aventureros que querían ocupar algún territorio. Palabra derivada del nombre dado a algunos grupos de piratas.

Furgones: carruajes cerrados que se utilizan para transporte.

Guacavaqui: comida indígena elaborada con carne y hueso de res, verduras y semillas.

Guaris: cestos hechos de palma.

Hacienda pública: dependencia que recaba los impuestos de los ciudadanos.

Haciendas: fincas con grandes extensiones de terreno que se dedicaban a la agricultura o a la ganadería.

Haz: porción atada o amarrada de un cereal, hierba o leña.

Imperio: territorio gobernado por un emperador.

Importación: compra de productos de un país a otro.

Impuestos: contribuciones en dinero que paga un ciudadano a la hacienda pública.

Interino: que ejerce por algún tiempo un cargo en lugar de otra persona.

Irrigación: que sirve para regar tierras de cultivo.

Juicios: procesos que se llevan ante un juez para llegar a un acuerdo.

Leyes: reglas, normas o mandatos escritos, dados por una autoridad para que convivan las personas y resuelvan diversos tipos de problemas.

Magistrados: Jueces del Supremo Tribunal de Justicia.

Maquiladoras: fábricas extranjeras donde se realiza sólo parte del proceso total de un producto.

Matriarcal: tipo de organización en donde predomina el gobierno o la conducción de la mujer.

Misiones: lugares donde predicaban los misioneros, en ellos agrupaban a los indígenas para que vivieran.

No reelección: no poder volver a elegir a la persona para el mismo cargo.

Preciado: alguna cosa muy valiosa.

Proclamó: dio a conocer.

Promulgada: publicar formalmente una ley o reglamento.

Provisional: por un tiempo.

Rangers: policía rural de Estados Unidos de América, especialmente de Texas y Arizona.

Red hidrográfica: conjunto de ríos que recorren un territorio.

República: forma de gobierno donde el pueblo elige a sus representantes.

Reserva ecológica: zona de gran riqueza natural que cuenta con una flora y fauna características de la región donde se encuentra. Son lugares protegidos para preservar especies animales y vegetales en peligro de extinción.

Reservas: en Estados Unidos de América, territorios donde se aparta o aísla a la población indígena para que viva.

Rosa de los vientos: símbolo en el que se representan los puntos cardinales.

Rupestres: pinturas sobre las piedras hechas por los hombres primitivos.

Satélites artificiales: aparatos creados por el hombre, puestos en órbita alrededor de la tierra con fines de telecomunicación.

Silvestres: que crecen sin cultivo en selvas, bosques y campos.

Soberanía: poder que tiene el pueblo y que lo ejerce por medio de sus representantes.

Tesgüino: bebida hecha con maíz fermentado.

Tradición oral: conocimiento muy antiguo que se transmite de forma hablada de una generación a otra.

Tribu: conjunto de familias que obedecen a un jefe, viven en una sola región y tienen un mismo origen.

Tropas insurgentes: ejército que luchaba por la Independencia de México.

Tropas realistas: ejército que estaba al servicio del rey de España.

Versiones: diferentes interpretaciones sobre un mismo hecho.

Virrey: el que con ese título gobernaba en nombre y con la autoridad del rey de España.

Visitador general: persona enviada a un lugar para organizar e inspeccionar el funcionamiento de los territorios coloniales.

Créditos de iconografía

Pág. 43 (sup.): fotografía de Guillermo Aldana, en *El estado de Sonora*, México, Grupo Azabache, 1993, pág. 92.

Pág. 51 (der.): fotografía de Guillermo Aldana, en *El estado de Sonora*, México, Grupo Azabache, 1992, pág. 39.

Pág. 126 (inf.): fotografía de Guillermo Aldana, en *El estado de Sonora*, México, Grupo Azabache, 1993, pág. 84.

Pág. 132: Benítez, Fernando, *Historia de la Ciudad de México*, vol. 6, México, Salvat, 1984, p. 79.

Pág. 152: fotografía de Guillermo Aldana, en *El estado de Sonora*, México, Grupo Azabache, 1993, pág. 49.

**Sonora.
Historia y Geografía. Tercer grado**

se imprimió por encargo de la
Comisión Nacional de Libros de Texto Gratuitos,
en los talleres de Disigraf, S.A. de C.V.,
con domicilio en Guillermo Prieto núm. 30,
Col. San Rafael, C.P. 06470,
México, D.F., el mes de febrero de 2003.
El tiraje fue de 59 650 ejemplares
más sobrantes para reposición.

Impreso en papel reciclado